BIBLIOGRAFIA CRITICA DE LA POESIA CUBANA
(Exilio: 1959-1971)

COLECCION SCHOLAR

MATIAS MONTES HUIDOBRO
YARA GONZALEZ
University of Hawaii

Bibliografía Crítica
de la Poesía Cubana

(EXILIO: 1959 - 1971)

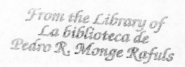
COLECCION PLAZA MAYOR SCHOLAR

PLAYOR, S. A. MADRID

PM

© 1973, Montes Huidobro y Yara González
Depósito Legal: M - 2263 - 1973
I S B N: 84 - 359 - 0054 - 1
Colección **PLAZA MAYOR SCHOLAR**
Editorial **PLAYOR, S. A.**
Apartado 50869 - Madrid - España
Impreso en España
Printed in Spain

PLAYOR, MAR MENOR, 16, MADRID

Queremos expresar nuestro agradecimiento a aquellas personas que nos han ayudado para que el presente trabajo resultara más completo, y en particular, a las bibliotecarias Ana Rosa Núñez y Rosa Abella.

«La disputa entre *Clarín* y Manuel del Palacio me aflige por lo sdos. En España se considera tan poco a los hombres de letras, que es un dolor que ellos mismos, en vez de ensalzarse, se arrastren por los suelos. Pero después de este previo sentimiento, me parece que *Clarín* tiene razón, y Manolito, no.

Es vanidad, a mi ver, monstruosa, darse por ofendido de que sólo le tenga por medio poeta.

¡Cuánto más ofendidos pudiéramos estar usted, Ferrari, Velarde y yo, que, sin duda, no somos para *Clarín* ni décimos ni céntimos de poetas!

Y, sin embargo, nosotros no tenemos contra *Clarín* la menor queja. Cada cual es libre de evaluar nuestra poesía como se le antoje.»

Juan Valera, San Ildefonso, 21-VIII-1889.

INDICE

Págs.

ABELLA, José Antonio, *Isla sin alba* 19
ACEVEDO, Norma Niurka, *Mordiendo el tiempo* 19
APARICIO Laurencio, Angel, *Cinco poetisas cubanas* 20
ARANGO, Rubén, Trece poemas y una epístola 23
ARCOCHA, José Antonio, *El reino impenetrable* 23
    La destrucción de mi doble 23
ARTIME, Manuel B. *Marchas de guerra y cantos de presidio* ... 26
BAEZA Flores, Alberto, *Hombre peregrino* 29
    El tiempo pasajero 30
    El mundo como reino 31
    A la sombra de las galaxias 32
    Continuación del mundo 33
BAQUERO, Gastón, *Memorial de un testigo* 34
BECERRA, Sergio, *Poéticas* 35
    Lejos de mi patria 36
BUSH, Juan William, *Los muros rotos* 36
CAIÑAS PONZOA, Angeles, *Versos* 39
    Diez romances 39
    Desnudez 40
    Agonías 40
    Destierro 40
CAMPINS, Rolando, *Sonsonero mulato* 41
    Habitante de toda esperanza 42
CASALS, Lourdes, *Cuadernos de agosto* 44
CASTRO, Angel, *Poemas del destierro* 45
CEPERO SOTOLONGO, Alfredo, *Poemas del exilio* 45
COAYBAY, *Nuestro Gustavo Adolfo Bécquer* 46
CORTAZAR, Mercedes, *Dos poemas* 46
DÍAZ MOLINA, Jorge. *En la ruta del deber* 49
ESTENGER, Rafael, *Cuba en la cruz* 51
FAJARDO, Pablo R., *Formas y espíritus* 53
FERNÁNDEZ, Mauricio, *Meridiano presente* 53
    El rito de los símbolos 54
    Los caminos enanos 56
    Región y existencia 56
    Calendario del hombre descalzo 57
FLORIT, Eugenio, *Antología penúltima* 58
FOLCH, Nina, *Cosecha de otoño* 59
GARCÍA, Eulalia, «Yamín», *Amanecer* 61
GARCÍA FOX, Leonardo, *Poemas del exilio* 61
GARCÍA-GÓMEZ, Jorge, *Ciudades* 61
GARCÍA MÉNDEZ, Modesto, *Cantos de libertad* 63
GARCÍA TUDURI DE GOYA, Mercedes, *Ausencia* 63
GEATA, Rita, *Cuando cantan las pisadas* 64
    Poemas escogidos 66
    Mascarada 66
GIRANDIER, Antonio, *Acorde y asombro* 68
GONZÁLEZ, Ana H., *La sombra invitada* 70
GONZÁLEZ TADEO, Carlos, *Arpegios de una lira* 71

GONZÁLEZ CONCEPCIÓN, Felipe, *Poemas de la vida y de la muerte* 71
Versos por Cuba y para Cuba 71
GONZÁLEZ VÉLEZ, Francis, *Remanso* 72
GONZÁLEZ, Luis Mario, *Un poeta cubano, poemas y décimas* . 72
GONZÁLEZ, Miguel, *Sangre de Cuba* 73
HERNÁNDEZ LÓPEZ, Carlos, *El lecho nuestro de cada día* 75
LE RIVEREND, Pablo, *Glosas matrianas* 77
Cantos de dilatado olvido 78
Pena trillada 78
La estrella sobre la llaga 79
Minutos en mi quedados 80
La alegría sin quehacer 81
LÓPEZ MORALES, Humberto, *Poesía cubana contemporánea* ... 82
LUIS, Carlos M., *Espacio deseado* 83
MACIQUES, Benito, *Ansias* 87
MARIO, José, *No hablemos de la desesperación* 87
MATOS, Rev. Rafael, *Manantial de mis anhelos* 89
MIRANDA, BERTHA, *Rosal de amor y recuerdo* 89
MONTANER, Carlos Alberto, *Los combatientes* 89
MONTES HUIDOBRO, Matías, *La vaca de los ojos largos* 91
NÚÑEZ, Ana Rosa, *Las siete lunas de enero* 93
Viaje al casabe 95
Poesía en éxodo 96
ORTIZ-BELLO, Ignacio A., *Beso del sol* 99
Martha, letanías de amor 99
Carta invernal 99
PADILLA, Martha, *La alborada del tigre* 101
PADRÓN, Roberto, *Humo y palabra* 102
PORTELLA, Iván, *Dentelladas de un ególatra* 103
PRATS, Delfín, *Lenguaje de mudos* 104
PRIDA, Dolores, *Treinta y un poemas* 106
RIVERO, Isel, *Tundra* 109
RODRÍGUEZ, Israel, *Poemas de Israel* 111
ROJAS, Jack, *Tambor sin cuero* 112
ROJAS, Teresa María, *Señal en el agua* 114
ROSSARDI, Orlando, *El diámetro y lo estero* 115
Que voy de vuelo 117
RUIZ SIERRA FERNÁNDEZ, Oscar, *Pensando en Cuba* 118
SÁNCHEZ-BOUDY, José, *Poemas de otoño e invierno* 119
Ritmo de Solá 120
Poemas del silencio 121
Alegrías de coco 122
SOSA DE QUESADA, Arístides, *Errante* 123
Brasas en la nieve 125
TARACIDO, Carlos Manuel, *Poemas de mi fantasía* 127
TEJERA, Eduardo J., *Recuerdos de un instante* 127
Voces de dos mundos 128
VALDÉS MIRANDA, Concha, *Sus poemas y canciones* 131
VARELA-IBARRA, José L., *Año nuevo* 131
VENTURA, Enrique J., *Veinticinco poemas y un monólogo dramático* 131
Veinte cantos y una alegría 132
Raíces en el corazón 132
ZALDÍVAR, Gladys, *El visitante* 135

CIRCUNSTANCIA POÉTICA EN EL EXILIO

La primera intención que nos anima en el presente trabajo es la de divulgar la poesía cubana en el exilio, procurando, además, ofrecer una mínima orientación crítica. Hay que considerar que la mayor parte de los libros aquí comentados son el resultado del esfuerzo individual, no sólo desde el punto de vista creador sino desde el punto de vista económico. El poeta cubano en el exilio se mueve dentro de circunstancias adversas, no teniendo el apoyo estatal típico con el que pueden contar los poetas comprometidos no exilados. Tampoco tienen a su favor la amplia divulgación de los organismos gubernamentales nacionales e internacionales, en especial los del mundo latinoamericano. Esto último es particularmente importante, creando un abismo entre las condiciones de unos y otros. Por razones políticas y no por razones estéticas en la mayor parte de los casos, el poeta cubano exilado encuentra una divulgación muy limitada dentro de las esferas del mundo hispánico, hallándose en una situación particularmente desfavorable. En realidad, pisa tierra de nadie, y cuando se habla, por ejemplo, de la joven poesía cubana, quedan excluídos una serie de jóvenes poetas que tendrían mejor fortuna, desde el punto de vista de la divulgación de su poesía, si estuvieran en Cuba. Simplemente, intencionalmente o no, se les silencia [1].

Escribir así es tarea ardua, particularmente si a ello agregamos las barreras creadas por el lenguaje. No obstante, en unos diez años de exilio, hay un mundo poético considerable que estamos seguros se le va por encima al mundo poético de muchos países latinoamericanos en igual período de tiempo. Nuestra apreciación en este momento es más cuantitativa que cualitativa, aunque la segunda hace acto de presencia también en cantidad proporcionalmente considerable: no faltan los poetas genuinos con un sentido actual de la poesía. Si los criterios humanos y estéticos estuviesen por encima de los criterios políticos, la apreciación de esta tarea poética tendría un lugar más privilegiado.

Frente a una serie de negativismos existe una compensación única de la que no pueden disfrutar la mayor parte de los poetas de otros grupos humanos: la independencia peculiar que ofrece el destierro al desterrado. Por supuesto que existe una poesía comprometida, directamente anticastrista, pero no es ésta la más independiente. Además, no es el más puro lamento. De todos modos nos inclinamos a pensar que *el destierro es un privilegio poético y creador, único, frente al cual debemos estar agradecidos. Después de todo, todos hemos sido desterrados de algún desconocido paraíso, y el serlo dos veces nos da un acercamiento a la verdad frente a aquellos que permanecen en la utopía del encuentro. Nosotros conocemos la implacabilidad. El poeta en el destierro, que no gana nada y nada tiene que perder, que anticipa la indiferencia, encuentra en su aislamiento el significado trágico, único posible, de la palabra libertad,* que, por supuesto, nada tiene que ver con el comunismo o las democracias.

En un plano más concreto, debemos considerar algunas direcciones poéticas en el exilio. *La tradicional voz sentimental o sentimentaloide, romántica o seudorromántica, convencional líricamente y con clichés de la más diversa índole, se deja escuchar.* No la hemos excluido a pesar de que no la compartimos. Después de todo forma parte del espíritu romántico cubano, de su anhelo de belleza y lirismo, no siempre conseguido pero siempre respetable. Por otra parte, no falta de vez en cuando una que otra imagen que se impone por su acierto, aunque dicho acierto no sea innovación poética. Finalmente, es ejemplo de independencia política en su misma reafirmación de lo emotivo, lo sentimental, lo apasionado e individual.

Del lado opuesto nos encontramos una extensa y esperada producción poética marcadamente patriótica, combativa, comprometida, directamente anticastrista. Es natural que sea manifestación típica del exilio. No puede esperarse otra cosa dadas las circunstancias. En primer término hay que respetarla como expresión del dolor humano. Estos poetas son los que sienten la experiencia cubana de una forma más inmediata, localizada geográficamente, sin poderla asimilar hacia el plano universal y sin poderla transferir hacia un dolor humano sin fronteras: viven un destierro local sin llegar a un destierro absoluto.

En muchos de estos escritores la pasión patriótica o política se impone sobre la poética. Cree este tipo de escritor que su arma de combate es el verso y como tal lo utiliza. Claro que la actitud es estéticamente errónea. Hay una diferencia entre ser soldado y ser poeta. Ni el soldado puede llevar un libro de poemas como arma de combate en el campo de batalla, ni el poeta puede llevar una bayoneta en cada una de sus rimas. Cada campo de batalla requiere el efectivo manejo de sus propios recursos. La estrategia militar no es la del verso. En este último caso la batalla se gana mediante la estrategia que es posible desplegar a través de la palabra. La poesía de combate a veces queda aniquilada dentro de sus propias redes.

Pero no siempre. Es típico de este tipo de poesía que una imagen directa, una estrofa de pasión patriótica exuberante, se oponga a otras donde nos encontramos un acierto lírico digno de señalar. La poesía parece estar entonces en combate por su supervivencia, y en algunos casos la condición poética llega a imponerse. En un libro de irregulares méritos, podemos encontrarnos de pronto unos poemas donde el dolor llega a hacerse auténtica poesía. En los más hábiles, las imágenes tienden a depurarse, lo patriótico tiende a transformarse en poesía y la batalla no queda absolutamente perdida. No faltan en la poesía de combate aciertos de «derecha» tan dignos de tomarse en cuenta, poéticamente, como otros mejor conocidos de «izquierda».

Dentro de este marco nos encontramos a veces un tipo de poesía nostálgica, evocativa, en la cual el poeta recuerda calles, pueblos, ciudades, pertenecientes a un tiempo ido. Esta poesía adquiere un especial contenido humano, más hondo, que logra transmitir las esencias patrióticas en el mejor sentido.

En este grupo nos encontramos escritores formados en Cuba con anterioridad a la revolución y con un nombre y prestigio en su país no siempre relacionado exclusivamente con la actividad poética. Hombres ya bien entrados en la vida y en los cuales el dolor de Cuba resulta posiblemente más difícil de aceptar. Ejemplos representativos podrían ser Arístides Sosa de Quesada y Rafael Esténger. Al mismo tiempo se les unen hombres más jóvenes, activos políticamente en algunos casos, cuyo foco vital no es precisamente la poesía, dedicándose a cultivarla impulsados por las circunstancias, como en el caso de Manuel Artime. Otros muchos nombres podrían agregarse a uno u otro grupo.

Marchando hacia otro plano nos encontramos unos cuantos casos de escritores de una formación poética anterior al castrismo que han continuado escribiendo o publicando en el exilio, pero con un prestigio (o al menos labor poética), establecido con anterioridad. Estos escritores se dirigen a la poesía por sus valores intrínsecos, no como el resultado de una circunstancia dada, aunque ello no excluye que la circunstancia se refleje en la poesía.

Pero, no tan jóvenes como los que mencionaremos y más en poeta que los antes mencionados, su poesía es la continuación de una obra iniciada de atrás.

La calidad poética, como en el caso anterior, puede variar. Gastón Baquero posiblemente sea el ejemplo más significativo. La escala generacional es amplia: de Mercedes García Tudurí a Antonio Giraudier. El valor poético también lo es.

Finalmente tenemos dos grupos generacionales. Primeramente, algunos escritores que ya se han iniciado poética o intelectualmente en el momento inicial del castrismo, que tienen que dar un salto geográfico, pero que prosiguen en la tarea creadora en la década del sesenta, ya exilados. Iniciados en Cuba, todavía tienen, por lo menos teóricamente, una tarea creadora por delante. *El último grupo, más joven, apenas se da a conocer en Cuba, algunos se dan a conocer en el exilio en la década del sesenta, su actitud poética está más desligada de la específica circunstancia cubana, que tiende a transformarse en esencia.*

Podría decirse en términos generales que en estos escritores la poesía se impone sobre el ideario. El exilio se va volviendo esencia y es una especie de base dolorosa, pesimista, sobre la cual se alza la poesía. Hay a veces una marcada intención de evitar lo cubano, que puede por momentos resultar exageración. En poesía, como en todo, si algunos pecan por exceso, otros pueden pecar por defecto. Se va así de un extremo a otro. También se puede caer en la afectación intelectual, en el vacío de la palabra, a causa de un afán desmedido por tratar de huir de lo llano, lo sensiblero, lo local. Pero en general, la intención es auténticamente poética, el dolor del exilio está asimilado y hay una especie de conciencia de exilio total; la mejor poesía busca un punto medio donde la palabra debidamente seleccionada trata de ser expresión del dolor del hombre. En general los logros tienden a imponerse sobre las limitaciones, y por la tarea todavía por realizar, constituye el grupo que debe observarse más cuidadosamente en el futuro. Los más jóvenes se encuentran dentro de un destierro especial que se basa en un enajenamiento pleno, desolación frente a un mundo que sentimos que no nos pertenece y del cual no formamos parte.

De este modo la poesía ha ido pasando del grito anticastrista del desterrado específico al grito apocalíptico del desterrado total. En algunos poetas se tiende a la integración, indirecta o no, de lo cubano dentro de un sentimiento de absoluta desolación; pero Cuba se ve latir en el fondo. En otros, por el contrario, hay cierta marcada inclinación al absoluto desarraigo patriótico, posiblemente por prejuicio estético e intelectual, y para evitar mezclarse estéticamente con los clichés de la poesía marcadamente anticastrista. ¿Escrúpulos intelectuales? ¿Oscuridad política consciente o subconsciente? No lo sabemos. Pero por este camino también se puede llegar a extremos perjudiciales para el hacer poético. La palabra puede ser vehículo de ausencia, no presencia. ¿Acaso la imagen se vuelve gratuitamente oscura porque, sencillamente, se trata de una máscara tras la cual no hay nada? El refinamiento intelectual no es menos peligroso y hueco que la ampulosa retórica y el insulto prosaico. Quizás las mejores manifestaciones de la poesía cubana en el exilio sean aquéllas en que el poeta trata de integrar en fondo y forma una serie de direcciones contrapuestas.

De todos modos, en un mundo sumido en las consignas partidistas, el desterrado esencial sabe que su Patria le ha sido robada, que el retorno es un imposible, que el paraíso ha sido perdido y no será recuperado, que el destino de Abel (forma de Caín), nos persigue y nos condena a vagar sedientos de un lado a otro. El castrismo se vuelve así un grotesco local, una circunstancia momentánea, en nada comparable a un dolor permanente. Mera circunstancia política, su robo es caricatura, pero acentúa esencias del destierro. Se nos ha otorgado una antorcha desoladora que nos enfrenta a la verdad de nuestro destierro universal.

NOTAS

1.   Todo esto dificulta que el presente trabajo sea completo, a pesar de nuestros esfuerzos. Se ha hecho lo posible por evitar omisiones, pero las mismas han de ser seguramente inevitables. Quedará el asunto para futuras rectificaciones, nuestras o de otros. Además, deseamos aclarar que desde el punto de vista bibliográfico se han incluido aquellos libros o poemarios publicados por cubanos fuera del territorio insular y en el idioma español. La discutibilidad del exilio de algunos se ha dejado a un lado, guiándonos básicamente por el lugar y fecha de la impresión y no por otro criterio ideológico. En algunos casos, escritores nacidos fuera de Cuba, pero que en mayor o menor medida se consideran cubanos, han sido incluidos. Los accidentes de nacionalización originados por el exilio no han sido tomados en cuenta [2].

2.   Anticipemos a la insatisfacción bibliográfica la insatisfacción crítica. Si aquélla puede tener remedio, ésta pertenece al reino de lo irremediable. Ya sabemos, en particular, la imposibilidad de la crítica en el mundo hispánico: la positiva siempre es insuficiente para el que la recibe y siempre es excesiva para el vecino de circunstancia creadora. Este siempre acabará tomando a mal tal positividad (por generosidad en demasía); aquél siempre acabará tomando a mal la interpretación positiva que no ha sido señalada, mucho más aquella negativa que se haga; siempre objetará la crítica negativa, pero la positiva acabará pareciéndole precisa. Clamará por la adecuada objetividad (es decir, la suya) frente a la cual toda otra le parecerá imprecisa (es decir, la ajena). Ello se debe, afortunadamente, a que en el terreno de la literatura y de la crítica, por muchas vueltas que se dé, siempre se mueve uno en las arenas movedizas de la subjetividad. La crítica, a la larga, es una reacción subjetiva, una expresión de puntos de vista con una argumentación o interpretación dada, un diálogo interior que se prolonga (el libro que se lee, el libro que se escribe sobre lo que se lee, el libro que se lee sobre lo que se escribe), una sucesión de subjetividades que se aceptan las unas a las otras, que se comprenden o se rechazan; una manifestación de la absoluta independencia del espíritu humano.

ABELLA, Lorenzo, *Isla sin alba* (Cénit, Puerto Rico, 1968), 60 ps.

Poemas que en su mayor parte indican el compromiso político con respecto al problema cubano. Hay, como es común, momentos en el que el poeta logra controlar su pasión patriótica dentro de la forma poética («sabemos que la marcha será dura,/ que la muerte nos busca en sus puñales»), seguidos de otros donde la pasión no puede contenerse («un hombre concebido por la selva/ de fulgor de chacal en la mirada/ y largos dedos de uñas goteantes»).

ACEVEDO, Norma Niurka, *Mordiendo el tiempo* (La Rueda, Puerto Rico, 1970), sin paginar.

Breve colección de poemas alrededor del tema de la desolación que parece asediar a la autora. Los poemas siguen la línea observable en Mauricio Fernández, Isel Rivero o José Mario. Apenas hay referencias locales (una observable: «Las calles adoquinadas/ de la Habana»), como si el único compromiso fuera la vaga desolación consigo mismo.

Lo fundamental en la poesía de Norma Niurka Acevedo es la desolación. Se trata de buena poesía de casi absoluto aislamiento. Lo dice en la primera línea poética: «Alejado de cada cosa: mi nombre»; lo repite: «¡cómo está vestido / de soledad / este camino!» Lo cual no evita que en algún momento intente la integración: «Deshilachada, rota, / despedazada poro a poro, / recoger con mis pedazos, / con la punta de los dedos, / la sangre de mis hermanos / los caídos, / los aborrecidos,/ los abandonados.» Pero el gesto ha de ser un estado espiritual (suponemos), no de combate: el combate sólo es posible cuando el espíritu decide cegarse y encarcelarse en los dogmas. Por eso, a pesar de todo, lo que predomina en el conjunto es el aislamiento egocentrista y el rechazo del medio. El temperamento de la poetisa parece totalmente erradicado a pesar del inútil intento: «Alejarse de cada cosa / y volver a acercarse»; «todas las sensaciones / y todas las reacciones, / todo volcado sobre mí / y resistiendo.» Ella quisiera, ella siente la pérdida. «Y ¿Por qué en este silencio / me va mordiendo / algo que pierdo?», pero (suponemos) estará condenada a la soledad que se revierte sobre sí misma. El caos es básicamente una forma egocéntrica de la desolación del legítimo y pleno desterrado: «Quiero pertenecer / a ese ocaso / en el que se agitan / las horas tenebrosas / de la sangre derramada.»

En la poesía que se ha ido publicando en el exilio, el péndulo ha ido pasando del grito anticastrista a la interior inconformidad e insatisfacción absoluta. Como no nos ha interesado básicamente la trayectoria individual del poeta, sino el libro en sí como resultado creador, nos ajustamos esencialmente al mismo. En este caso: desolación, aislamiento, vanos intentos de integración, fracaso, desarraigo del problema cubano para pasar a lo absoluto de la moderna trayectoria romántica: yo-caos total. No olvidemos que el neo-romanticismo es rebelde, inútil, desolado, sonoro y caótico, como el decimonónico.

APARICIO Laurencio, Angel, *Cinco poetisas cubanas* (Ediciones Universal, Miami, 1970), 134 ps.

Aparicio Laurencio reúne en esta edición cinco poetisas cubanas en el exilio, todas ellas con características muy propias: Mercedes García Tudurí, Pura del Prado, Teresa María Rojas, Rita Geada y Ana Rosa Núñez. El libro es un magnífico aporte a la divulgación de la buena poesía cubana en el exilio y tiene un buen estudio preliminar de Aparicio Laurencio. «Existe una gran publicidad, publicidad exagerada, en torno a lo que escriben *revolucionarios de tocador*, y existe un gran silencio con respecto a la obra de escritores independientes que se niegan a aceptar ninguna clase de tutelaje ideológico. Asombra comprobar que en un medio adverso, los cubanos del destierro se hayan entregado a la tarea de conservar y acrecentar su patrimonio cultural y artístico...»

De las poetisas que aparecen en la colección nos interesa en particular Pura del Prado, ya que esta poetisa no ha publicado, hasta 1971, ningún libro en el exilio. Pura del Prado nos resulta también de interés ya que sus poemas aparecen en gran medida como documento humano, aunque esto, claro está, no es poéticamente suficiente. Poetisa con conciencia social, no se evade en abstracciones dudosas a veces, sino que sabe ser directa, y esto muchas veces lo preferimos. Su temática es, pues, de interés, y su forma es casi siempre, por lo menos, correcta. «Vendió periódicos en naciones lejanas / para comprar la leche prestada del destierro.» «Estuvo en los andenes de pueblos remotos / y en todos almorzó en la pobreza.» «Los crucifijos tintinearon en su falda / y llevó carteles comunistas a la plaza.» Su poesía aparece así comprometida con el dato concreto y con la existencia política del hombre, pero sobre ella trasciende un espíritu humano total. Sus cantos a la abuela resultan también de mucho interés, de profundo contenido nostálgico, de comunión con la humildad: «Su habitación al lado de la mía./ Yo miraba por una ventanuca. / Mi infancia todavía se acurruca / por aquella penumbra, como espía.» Las imágenes a veces son muy expresivas y logradas: «Por ella tengo el corazón mestizo.» Si a veces el documento pierde a la poetisa, como en «Mi primo Guillermo», otras veces nos encontramos con interesantísimos experimentos, tal y como ocurre en su «Monólogo de una exilada», que desde los primeros versos nos traslada con eficacia al Miami del exilio cubano: «Miami se parece a Cuba / pero no tiene yényere.» «La décima la encerramos en el disco, / ya no trota en su campo.» «El Zig Zag hace burlas / entreteniendo el hasta cuando, / y la desesperación / se torna en inauditas carcajadas.» «La bolita anda escondida / sin vidrieras ni versos / del animalito que corre por los techos / y echaban el elefante.» A pesar de lo directo y lo circunstancial, hay algo esencial en la cubanía de esta poesía que debe tomarse seriamente en cuenta, a pesar de la broma, y que constituye un interesante intento de integración trágica del choteo a la poesía, armonización de elementos opuestos que siempre es interesante observar, que siempre resulta poéticamente tarea difícil, imposible tal vez. Cotidiana y honda («La tristeza ha querido apoderarse de mis sábados. / Insistente, quisquillosa, constante, / se cuela en mi vacación, / como si ya no tuviera bastante con la soledad»), Pura del Prado parece tener algo que otros poetas muchas veces no tienen: algo que decir.

Pero hay otras facetas de Pura del Prado que no están presentes en esta colección. Su poesía es la más auténtica y elevada expresión de lo blanquinegro o negriblanco cubano, que se refugia en el destierro también, como si estuviera perseguido. En su *Color de Orisha* (no publicado dentro de los límites cronológicos de este trabajo), las esencias yorubas se exilan con su más auténtico sabor, dejando constancia de otro lamento perseguido. La integración católico-yoruba aparece en su «Canto a Iroko, la Ceiba, habitada por la Inmaculada Concepción» («Raíz de blancas virtudes, / sombra fresquita de nata, / cuna que duerme la Isla, / mosquitero de enramada») y en su muy auténtico «Canto a los santos Cosme y Damián, los Ibeyi» («Van con sus sandalias de abedul abierto / y con sus colletes de pinar calado, / con el incensario del palmar ardiendo / y el copón de un cáliz recién rociado. / Con niágaras mantos de lis y ciruela, / leyendo en el libro de espiga y ocaso. / Con la cruz rajada del helecho al aire, / hacia su martirio de ameba y sargazo»). Su poesía deja constancia en el exilio de que la mística yoruba va más allá de la simple sonoridad bongosera socio-económica guilleneana y que se eleva hacia Dios en búsqueda definitiva.

En una dirección muy diferente nos encontramos con Mercedes García Tudurí. Su poesía fluye siempre con anhelo de perfección, hacia la armonía última, desinteresada de la novedad. Y es esa sinceridad que parece tener con su poesía lo que le da a Mercedes García Tudurí la nota que nos gusta. Aunque gusta de lo absoluto sin frontera geográfica («Va el alma / con los ojos abiertos, / pretendiendo avistar en la sombra / una luz que le alumbre el sendero»), no falta el verso directo, armónico y bien logrado, como en los mejores momentos de «Martí»: «De ti no puede hablarse sino a través del símbolo. / A ti te queda estrecha toda expresión verbal.» Y Martí parece quedar subyacente, con una cubanía última en esta poetisa tan poco tropical: «Este total conflicto interminable / entre la rosa real y la soñada, / entre el velamen que la nave impulsa / y el áncora de hierro que la clava, / entre el ala que sube hacia los cielos / y la raíz que hacia la tierra baja, / entre toda esperanza que libera / y toda realidad que oprime y ata...»

A pesar de la fatuidad de algunos de sus versos («Es cierto, Walt: También yo hablo con Dios, / y soy la prometida del amor»; «porque tengo —no hay duda ya— / un poco de la luz divina de los muertos»), Teresa María Rojas reaparece con algunos muy buenos, especialmente cuando deja de individualizarse y, paradójicamente, se colectiviza: «¿Por qué no pensar / que somos el eslabón perdido? / Encajamos tan ciertamente / que si la vanidad, —an-

ciana calavera, / espantajo de la perfección— / no nos hubiese dado
sus cuencas / como asiento, / aceptaríamos / que somos lo que me-
dia entre Adán / y el hombre, / el exilio, / los pitecántropos, nosotros, / usurpadores.» Reaparece también Rita Geada con versos
seleccionados de *Cuando cantan las pisadas,* obra comentada en otro
momento. Y, finalmente, Ana Rosa Núñez, «que con su ternura ha-
bitual canta llena de esperanza a la isla y a las palmas», según nos
dice Aparicio Laurencio, y de quien hablaremos en otras páginas.

ARANGO, Rubén, *Trece poemas y una epístola* (Las Americas
Publishing Co., New York, 1969), 48 ps.

Las intenciones del escritor las expone el propio Arango en
las palabras que inician estos poemas, ilustrados con dibujos
de Alfonso Benavides. «Este librito de poemas contiene una
selección de los que he escrito en algunos instantes de evasión
en mi cotidiano bregar en el agónico mundo que en suerte me
ha tocado vivir. Con excepción de dos, que con otros que no
figuran en él fueron publicados en revistas literarias de mi des-
venturada patria, los demás han permanecido inéditos. Sólo tienen —si alguno tuvieren— el mérito de su sinceridad, pudiera
decir —las circunstancias determinan asociaciones de ideas—
que son como son y que 'a nadie los pedí prestados'». Así jus-
tifica Arango su producción literaria, producto de una apeten-
cia interior. La actitud podría considerarse típica y muchas
veces, entre los libros de poesía publicados en el exilio, parece
ser necesaria la aclaración. Lo cual no excluye que nos encontremos con algunos buenos momentos, como ocurre en el caso
de Arango: «Poema, vuelo, da/ a los aires tu grito./ Poema.
frasco, guarda/ en ti tu propia esencia.» «Ardía de ansiedad./
Atisbaba/ desde mis altas cumbres internas/ mis paisajes de
ayer;/ y sobre el fondo gris de aquel crepúsculo/ que fue
nuestro anhelar/ llameaba ¡sol de tarde!/ tu figura./ Descen-
dí de mis cumbres/ obseso/ por mi rara ansiedad,/ llevan-
do/ bañada en luz el alma.»

ARCOCHA, José Antonio, *El reino impenetrable* (Las Americas
Publishing Co., New York, 1969), 70 ps.

El reino impenetrable de Arcocha lo es a veces, es decir,
impenetrable, a causa del lenguaje, cuyo vocabulario tiende a
crear una especie de barrera protectora. Sin embargo, detrás
del mismo nos encontramos con una angustia similar del hombre contemporáneo, que no se siente ajustado al mundo en
que vive y que siente la necesidad de protegerse o refugiar-
se dentro de sí mismo.

«El reino impenetrable de tu distancia / Es un pájaro atroz que habita en lo más profundo de mi garganta.» La dualidad de una realidad exterior y de un mundo interior hacia el cual siente el poeta necesidad de sumergirse, se pone de manifiesto desde los primeros versos que abren el libro. La versión desoladora de la existencia, el páramo en que parece convertirse el mundo que nos rodea, el apocalipsis de este destierro último del hombre (nota característica de los poetas más jóvenes del exilio: Campins, M. Fernández, Isel Rivero, Bush, etc.), se pone de manifiesto también en Arcocha, aunque con otros moldes, otras formas que lo distinguen. Su vocabulario, por ejemplo, es más ornamental (a veces de una ornamentación que no es de nuestro personal gusto), recargado, rico, intelectual, dándole un toque distintivo a su poesía. La misma angustia busca otros ropajes, que a veces tienen el sabor de vuelta al modernismo. De todos modos, su reino es único entre los poetas cubanos en el exilio: castillos deshabitados, hechiceras silenciosas, tortugas sigilosas, torres del Néckar, Emperador Amarillo, pez espada fabuloso, jade terrible, carroza fantástica, boca de cervatillo, fosos de cocodrilos, torres de cóndores. Estos elementos se suceden en el mundo poético de Arcocha. Sin embargo, lo que nos gusta de su poesía no es precisamente el vocabulario (que si se mira aisladamente no es particular acierto), sino su aplicación con respecto al contenido poético. El juego entonces se hace funcional. Un buen ejemplo lo encontramos en su poema «Dagas»: daga de Júpiter, montaña sagrada, sucumbe César, destino de dagas, daga del príncipe; ornamentación preferencial del autor. Pero este vocabulario favorito se ajusta perfectamente a un sentido de desolación que es el lamento de Arcocha. Quizá el rico ropaje es para Arcocha el modo de expresar (u ocultar) la angustia. Por eso el vocabulario funciona admirablemente dentro del poema y nos da a a conocer al poeta que se esconde detrás de un vocabulario enjoyado: «El lecho del océano es una inmensa daga tendida / La daga de Júpiter penetró en la montaña sagrada / Sucumbe César a un destino de dagas / Poderosa e insomne es la daga del príncipe. / En la noche del mundo, mi única daga es verbal / Y en ella me incrustro.» El poema demuestra un eficaz manejo de un vocabulario peligroso. La daga helénica y románica va más allá de esa dimensión, que podría considerarse de superficie, para hacerse profunda en los dos últimos versos, y hacernos ver que más allá de la superficie está el mundo impenetrable de Archocha, más adolorido, lúgubre, en oposición a la engañosa apariencia. El gesto final es

esencial porque el poeta, en acto de sangriento suicidio oriental
(gesto propio del poeta Arcocha) introduce la ancestral daga dentro
de su palabra, que es él mismo.

ARCOCHA, José Antonio, *La destrucción de mi doble* (Plaza Mayor, Madrid, 1971), 28 ps.

> Este libro sigue la línea estética de su poemario *El reino
> impenetrable*. Aquel poemario tenía algo de la destrucción
> y éste sigue teniendo mucho de lo impenetrable: quizá toda-
> vía más. Los libros forman una continuidad ajustada al tem-
> peramento del autor.

«Los navíos de la Hecatombe incendian el jardín suspendido /
El reloj de arenas negras provoca la huida de los diamantes / La
ausencia del espesor vibra como una esfinge oblicua / El puñal sombrío atraviesa las ventanas del álgebra / La Vía Láctea compite
con la piel de Medusa.» Se trata de un poema representativo de
la manera de decir de Arcocha, donde un verbo se utiliza para unir
irreconciliables o elementos incomprensibles. Los elementos pueden
atraer, no porque digan realmente algo directamente significativo,
sino porque evoquen mundos de determinado interés o de una particular afinidad para el que lee. Pero como Arcocha gusta de estas
joyas exóticas, a veces la poesía sucumbe bajo el peso de sus propios elementos. De todos modos, como ya indicamos al hablar de
su libro anterior, su mundo es único, aquí se insiste en él y está
poblado muy de acuerdo con su gusto personal: «la hostilidad de
la ceniza», «los castillos imantados», «la magia de las pirámides»,
«la espiral moribunda», «los mitos de la vigilia», «las grietas del
mercurio», «una flecha disfrazada de túnel», «las raíces del domi-
nó», «la erosión de las torres» y (nada menos que) «la memoria alu-
cinada de las tortugas». Estas y otras cosas (se lee en la contraportada: «No planea escribir otros libros») nos dejan ciertas dudas
sobre la seriedad del caso, que nos hace sospechar que hay una
dosis de humorismo (muy personal también) en esta destrucción
ante testigos.

Mucho más nos gusta la poesía de Arcocha en aquellos momentos en que decide ajustar su mundo poético a un significado más
inmediato para el a veces desconcertado lector. No lo hace muchas veces, pero en el poema que dedica a Laira, la fantasía poética de Arcocha aparece ajustada a un fin, y el verso se humaniza.

«Rigiendo mi vida con horarios de tigre nocturno» cae en la esfera del mundo que va creando Arcocha, pero se escapa en el poema hacia un palpitar humano que es menos evasivo y enjoyado. Algo semejante ocurre con los versos que abren el libro, donde tenemos un impacto muy efectivo que parece que nos va a dar al poeta mismo. Nos lo da en cierta medida en esos cinco versos, en los cuales el poeta, sin negar su estructura poética preferida («La persistencia de los ataudes es eficaz como las frases del brujo»), ofrece atisbos del hombre. Pero a medida que nos adentramos en el poemario nos vamos sumergiendo en una sola dirección. Sería bueno que Arcocha, que puede hacerlo, prefiriera integrarlas ambas.

ARTIME, Manuel B., *Marchas de guerra y cantos de presidio* (La Noticia, Coral Gables, 1963), 110 ps.

> Manuel Artime es un hombre de acción que encuentra en la poesía un vehículo expresivo por medio del cual nos da a conocer sus experiencias externas e internas. Escribe estos versos mientras está en Cuba, en la cárcel, después de la frustrada expedición de Playa Girón, intencionalmente popularizada como Bay of Pig. El libro tiene un prólogo de Rafael Estenger, en el que leemos: «Sin habérselo propuesto, como es obvio, Artime se define a sí mismo en esta breve colección de poemas. Se define como hombre, que es lo que más importa, y como luchador anticomunista, que es también interesante. Las pautas básicas del libro concilian el ideario de José Martí, que fue agnóstico en materia religiosa, y la profesión de un catolicismo militante. En vísperas de la batalla de Playa Girón el canto se le hace plegaria: «Dame tu cruz, Señor, / que vamos al combate.» «Vamos a abrir el pecho / para ligar tu sangre con la nuestra / sobre la tierra tibia de la Patria.» Esténger se detiene para comentar uno de los mejores poemas del libro, «La rastra», haciendo un buen análisis de este poema dedicado a un doloroso episodio de la historia de Cuba anticastrista.

Si «La rastra» hubiera sido escrito por un poeta cubano no exilado, el poema estaría ampliamente divulgado por la América hispana. Lamentablemente para Artime como poeta, tal divulgación no es posible dadas las circunstancias políticas. De todos modos, «La rastra» está ahí, demostrando otra vez que la poesía comprometida, combatiente, revolucionaria, o como quiera llamársele, no es fenómeno de las izquierdas, sino que puede serlo, llamémoslo así, de las derechas, e inclusive de las derechas católicas.

En este libro de Artime hay algunos poemas de primera calidad
que constrastan con otros extremadamente pobres. El libro tiene
por lo menos dos direcciones: las experiencias dolorosas del
hombre de acción y la vuelta al pasado visto a través de la
nostalgia de la cárcel. La pequeñez amorosa de estos últimos,
de un seudorromanticismo casi adolescente, contrasta con algunos
logros presentes en la otra dirección.

Son las experiencias dolorosas del hombre las que hacen, en
este caso, al poeta. En el acrecentamiento de la pena encontramos
su mejor poesía. Ya hemos mencionado «La rastra», que, aunque
no sea poesía de última hora, acaba imponiéndose por su intensidad. «Enmudezcan clarines... / Toquen «requiem» campanas. /
Y que se quiebren todos los violines / y se llene de noche la mañana / y se vuelvan desiertos los jardines... / Ya la rastra salió para
La Habana.» El lenguaje poético es lo suficientemente bueno para
no desmerecer el caudal emocional del poema: el dolor ante las
atrocidades de la guerra. Los poemas que dedica a los compañeros
que participaron en la experiencia bélica nos parecen francamente buenos, salvo uno que otro instante donde la emoción patriótica se impone demasiado sobre la depuración poética. El libro se
abre con un momento poético muy efectivo que nos dice: «Francisco. / Coordinador de estrellas en la noche. / Francisco. / Coordinador de espigas en la roca. / Francisco. / Coordinador de
miel. / Coordinador de aceros y de rosas. / Permite que te hable
que te toque, / con la luz de mi Patria, / de tu Patria, / de
esa Patria que es látigo y azote. / Voy a contar la vida de tu
sueño / para soñar la vida en tu memoria. / Voy a escuchar tu
voz para elevar mis rezos, / voy a verte sufrir para escribir la historia.» A este poema le sigue otro con la misma intención temática y poética, «El punto fundora», que es otro buen logro de Artime. Tiene gran sentido rítmico, una unidad temática que no decae, buen caudal de imágenes. Y así otros poemas de este tipo donde
el hombre y la experiencia se traslucen dentro de un ropaje poético
digno.

Si Artime hubiera procedido con un criterio depurador, *Marchas de guerra y cantos de presidio* hubiera ganado no sólo estéticamente, sino políticamente: en el terreno de la poesía hay ar-
mas específicas para ganar la guerra.

BAEZA Flores, Alberto, *Hombre peregrino* (Brigadas Líricas, Mendoza, 1962), sin paginar.

> Baeza Flores, el hombre peregrino, recorre lugares que se suceden en su poesía: Marne, Londres, London Bridge, Trafalgar Square, Picadilly City, Liverpool, Heidelberg, Neckar Mannehim, Rhin, Línea Maginot, ruinas romanas, Florencia, Venecia, Génova, New York, Idelwild, Central Park, Columbia University, Lincoln Center...

Primero, sin embargo, coloca Alberto Baeza Flores un poema («El hilo solitario de la sangre») en el que la presencia o ausencia de Cuba es la que se impone, seguido de uno más íntimo («Si no te tengo a ti...») que lo hace genuinamente merecedor de ser colocado entre los auténticos cultivadores de la poesía cubana del exilio. En el primero logra mantener la armonía entre la poesía y la interpretación de lo cubano, por lo menos la mayor parte de las veces: «Hélices de denuncias giraban en todas las calles»; «Seríamos cenizas del olvido, fuego ya sin escándalo».

Superior, sin embargo, el que le sigue, donde el sentir es más hondo. Baeza Flores logra apresar poéticamente el significado del exilio. Logra que no se le escape ni la poesía ni el dolor que la hace surgir: «Soy el que perdió las cenizas de cuanto amaba su vehemencia.» Poeta de mayor solidez, de mayor formación, logra que los elementos patrióticos apasionados característicos no lleven al aniquilamiento de la poesía.

El libro nos traslada a mundos diversos. El autor parece colocarse con avidez ante las cosas que surgen en el paisaje, tratando
de apresarlas poéticamente. Aunque en esto hay un juego un tanto
artificial, como si el poeta fuese un virtuoso tratando de apresar
en el límite de la poesía la percepción que recibe de su encuentro
con los lugares, lo cierto es que Baeza Flores logra colocarse ante
ellos, reunirlos en la síntesis poética, que trabaja cuidadosamente,
y trasladarnos a los múltiples ámbitos de su experiencia por medio
de un feliz ajuste lírico.

BAEZA Flores, Alberto, *El tiempo pasajero* (Brigadas Líricas, Mendoza, 1966), sin paginar.

> A través de la poesía de Baeza Flores se recorren múlti-
> ples lugares. El poeta viajero nos lleva a lugares disímiles que
> podemos observar a través de su interpretación poética. En
> general, la actitud del poeta es similar a la que puede ser ob-
> servada en *Hombre peregrino*. Incluye, además, poemas a
> Martí, Lincoln, J. F. Kennedy; pero, en general, Baeza Flo-
> res toma como punto de partida lugares por los cuales ha
> transitado.

Hombre peregrino y *El tiempo pasajero* son títulos que a la
larga resultan sinónimos. Ambos títulos tienen un sentido del devenir humano: peregrino, pasajero. El hombre se mueve en un espacio geográfico. El transcurso del tiempo lo hace espacio histórico. Los lugares son aparentes, fijezas de un devenir: geografía e
historia. Todo a la larga es un engaño, un sofisma de la permanencia.

Pero más que los lugares, el hombre es siempre lo más importante. Frente a las ruinas romanas: «No necesito guía turístico
para saber de estas ruinas, / porque tienen mi sombra y mi cansancio, mi polvo y mi silencio, / mi sonrisa y mi lágrima.» En
Amsterdam: Ana Frank: «La luz conmovida de las páginas de
tu diario / con su letra de tierno sobresalto.» En Memphis: «En la
estación del autobús los hombres y mujeres / conversaban como
dentro de un acuario olvidado.» Los momentos donde el espacio y
el tiempo acrecientan su latido humano son los mejores dentro de
la poesía de Baeza Flores, aunque las imágenes logradas siempre
abundan. Casi siempre hay una dimensión humana soterrada,
aun en los casos en que el hombre no se nombre. Cuando contem-

pla el Gran Cañón del Colorado, el hombre se trasluce en su
propia ausencia: «Mientras las colinas suben, ahora, sin reposo /
hacia la lejanía petrificada en principios / donde enloquecen los
milenios.» Otras veces sentimos un pueblo en pleno, como la España lúgubre de su poesía: «Bicornio negro como cuervo al alba, /
cuerno de toro de la noche en celo.» En fin, que cada vez que lo
humano se acrecienta sobre el lugar mismo, la poesía de Baeza Flores acrecienta sus valores.

BAEZA Flores, *El mundo como reino* (Epoca y Ser, Madrid, 1967),
274 ps.

> Esta «Antología poética (1939-1967) recoge, en una am-
> plia edición con portada de Zilia Sánchez, la extensa produc-
> ción poética del poeta chileno-cubano. La poesía de Baeza
> Flores requeriría un estudio más detenido del que el espacio
> y la intención de este libro permiten. Comprende el libro su
> producción poética desde 1939, aunque es interesante obser-
> var que más de la mitad del libro contiene poemas pertene-
> cientes a la década del sesenta. *Hombre peregrino* y *El tiem-*
> *po pasajero*, libros ya reseñados, reaparecen aquí. La produc-
> ción de este período es la que da título al libro, aunque en la
> parte inmediata anterior, subtitulada «Papeles en el viento»,
> ya tenemos la presencia y el dolor de Cuba: «Un muro de
> cuchillos alzaron tus verdugos en lugar de tu nivel de pri-
> mavera.»

Además de los dos libros indicados, en esta parte de la antología potética de Baeza Flores nos encontramos «Prometeo Alema-
nia», colección de poemas publicados anteriormente por la revista
«Humboldt». En los poemas aquí reunidos, el poeta viajero se detiene ante los monumentos, pero uno de sus momentos mejor
logrados lo encontramos en sus interrogaciones ante un «Muro pequeño de una calle»: «¿Qué lepra de balazos / dejó sus garras en
tu piel? / ¿Qué uña de pólvora / dejó su marca en tu silencio?»
España aparece en «La llama y la ceniza.» La perspectiva española
es triste para Baeza Flores. Recorre los lugares y una constante nota
de tristeza lo envuelve: «España de la luz y de la sombra»; «Ala-
mos solos, en el aire en pena / álamos de la España pensativa»;
«Molino solo, como tú y como yo / entre la soledad sin tregua de
la Mancha»; «Tierra, tierra de España, / sangre de un Cristo que
suspira / tendido entre el ayer y la esperanza»; «Gitana melancó-
lica del viento»; «El mugido del toro hacia la ausencia»; y, en es-

pecial: «Donde anduvo la guerra»: «Aquí estuvo la guerra, pero no de visita. / Miró por entre el ojo de las piedras». Baeza Flores es otro a quien le duela España, como le duele Cuba, y deja de ello buena constancia poética. «París de cada día», de menor altura, le sigue, cerrando el conjunto con «Poemas sobre los muros de la edad atómica», anticipo de su escape siguiente a las galaxias.

El mundo como reino es un libro extenso que deja constancia del trabajo creador de un hombre dedicado intensamente a la poesía y que encuentra a ésta en los más remotos lugares de su reino. Pide un estudio detenido para poder ubicar con precisión el alcance de la labor poética de Baeza Flores.

BAEZA FLORES, Alberto, *A la sombra de las galaxias*. (Epoca y Ser, Costa Rica, 1968), 60 ps.

> Leemos: «Los poemas de *A la sombra de las galaxias* fueron escritos por Alberto Baeza Flores (nacido en Santiago de Chile en 1914) durante sus viajes por Canadá, los Estados Unidos de Norteamérica y Méjico durante 1967. Se inician con poemas creados en Europa y el nombre de esta selección prolonga su antología poética, publicada en Madrid en 1967: *El mundo como reino*.» También Miguel Arteche nos dice: «¿Poeta chileno? ¿Poeta cubano? ¿Poesía chilena, poesía cubana o dominicana? Pero ¿qué sentido tiene la nacionalidad para un poeta cuando sus poemas, como los de Alberto Baeza Flores, se apoyan y empapan en la mejor tradición de una lengua y se enriquecen con las experiencias de más de medio siglo de poesía contemporánea y de lugares que él ha vivido intensamente?»

Por peculiaridades de nacionalidad y razones de generación, Alberto Baeza Flores ocupa un lugar especial dentro de la producción cubana en el exilio. Esto lo coloca en un plano aparte. También su obra más extensa y formada lo distingue del promedio de autores que publican en el período al que corresponden estas notas. Por consiguiente, más que otra cosa, queremos dejar constancia de sus libros y, en todo caso, apuntar algunos aspectos.

Nos encontramos aquí con otro recorrido por lugares donde lo humano aparece entremezclado con lo espacial. Esta es la perspectiva general de Baeza Flores con respecto a la poesía. Al final, sin embargo, hay una serie de breves meditaciones poéticas que se suceden con una secundaria ubicación en un punto geográfico. O

quizás no. El autor, simplemente, se ha trasladado conscientemente
a las galaxias: «Vago algunas tardes / entre siglos que cruzan / a
velocidades más rápidos que la luz / y, sin embargo, no me muevo
del sitio / de esta palabra. / Te amo». El espacio se hace ahora
más sentimental.

Pero, antes, no falta Cuba, también añoranza del poeta cubano-
chileno: «Cuba, / palmera al sol, / loma en la ausencia. / Y una
lágrima. / Cuba, / dolor sin voz, / ceniza en el adiós. / Y en la
nostalgia. / Mi vida, hoy, / aún está allí / aunque camine sin descanso / lejos de tu mirada». Se trata de otra sombra poética de las
galaxias.

BAEZA FLORES, Alberto, *Continuación del mundo.* (Epoca y Ser,
Costa Rica, 1969), 112 ps.

Poeta y viajero incansable, como ya se ha indicado, Baeza
Flores nos traslada en este libro hacia el paisaje geográfico
y humano de Hispanoamérica (en nuestra preferencia) o In-
doamérica (en la de Baeza Flores): «Poemas hacia Chile»,
«Poemas costarricenses», «Poemas nicaragüenses», etc.

El poeta, ante cada lugar, siente un toque poético y la necesidad de expresión. Surgen de inmediato las imágenes: éstas, casi
siempre cuidadas, casi siempre bellas. Y, sin embargo, realmente
no nos entusiasman. Y no es que tengamos ninguna objeción ante
las imágenes, en términos generales. Casi al azar tomamos un trozo
poético: «Tiembla, ahora, el agua / de ser y parecerse / —sin prisa
y sin descanso— / a lo que las piedras han olvidado». No dudamos
de la calidad de estos versos. Y de muchos (la mayor parte) de
los que encontramos en los poemas de Baeza Flores. Pero... hay
un error de concepción. Al menos para nuestro gusto. Esta actitud
poética de ir a un lugar y sacar de él un poema, por muy bien logrado que esté, tiene a la larga una limitación de índole fotográfica.
La relación de mayor intensidad se establece entre el que se ha
recreado detrás del lente y junto al paisaje. Después, en aquéllos
que han estado en el paisaje: Mérida, Uxmal, Chichén Itzá. Pero
aquéllos que tienen otro álbum de experiencias, acaban por sentir-
se distanciados, como ante el álbum familiar ajeno, por muy bueno
que sea el fotógrafo y por muy refinada cámara japonesa que use.
Así las cosas, las refinadas imágenes de muchos de sus versos, que a

veces nos tocan por coincidencia de lugar, otras veces se alejan en un correcto prisma de distancia.

BAQUERO, Gastón, *Memorial de un testigo*. (Adonais, Madrid, 1966), 73 ps.

> Leemos en las solapas: «Gastón Baquero, autor de este libro, nació en Banes, provincia de Oriente (Cuba), el 4 de marzo de 1918. Su nacimiento a la poesía se verificó hacia 1939, al ser incluido en una famosa antología de Cintio Vitier. Baquero pertenece, por tanto, al grupo de poetas cubanos conocidos con el nombre de Generación de Orígenes». «A partir de 1959, Gastón Baquero fijó su residencia en España, y es entre nosotros donde ha reanudado la escritura de sus poe. mas, decidido, según confesión propia, 'a dejarse llevar por los impulsos de 'a naturaleza, sin importarle que estos impulsos no armonizasen con los esquemas de la poesía ideal que había concebido'. *Poemas escritos en España* (Madrid, 1960) fue la primera consecuencia de esta nueva etapa en la que el poeta actúa como un testigo que mezcla lo cotidiano y lo mágico». «*Memorial de un testigo* viene a ser una especie de ejercicio intencional en el reino del realismo mágico. Nada de esto ha ocurrido sino en la imaginación del autor. Son, en su mayoría, poemas compuestos sobre una experiencia meramente auditiva o de fantasía, pero a la que no es ajena la sinceridad, el calor humano y el patetismo.»

No pretendemos en este caso hacer un análisis crítico de la obra de Baquero, ni siquiera de este libro, sino, simplemente, dejar constancia del mismo y hacer unos breves comentarios.

Ciertamente lo cotidiano se mezcla con lo mágico, particularmente dentro de un plano histórico. Entonces sentimos lo cotidiano como tiempo y el hombre pequeño dentro de ese mundo de grandes nombres. El testigo anónimo parece por momentos la permanencia: es la figura que se mueve de un contacto humano a otro: Juan Sebastián, Rafael, Mozart, Waterloo. El tiempo histórico se vuelve pequeño accidente cotidiano dentro del cual lo que más importa es la mano tendiendo el alón de pollo y el vasito de vino. Por eso la poesía tiene una doble vertiente: una de carácter aristocrático que le da un tono elegante, superficial; otra de carácter humano, humilde dentro de su constante refinamiento intelectual, que integra al hombre con minúscula a la constancia del tiempo y al paso de la historia. De este modo Gastón Baquero se vuelve refinado y humano a la vez.

Si se toma cualquier realidad del mundo poético de Gastón Baquero, nos trasladamos a un ámbito completamente diferente a la realidad de donde parte el poeta para crear su mundo. Es en realidad un mundo propio, único. Cuando leemos «Negros y gitanos vuelan por el cielo de Sevilla» estamos conscientes de un mundo sui generis que merece un más cuidadoso estudio que el que estas notas permite. Las relaciones siempre son sorprendentes e inesperadas: «La carita falsamente trágica del bailarín flamenco / nos recuerda que en ciertos meses el cielo muestra sus mejores estrellas / para enseñarnos que no hay que hacerse demasiadas ilusiones.» Poesía con una cierta trascendencia, con un cierto humorismo, que establece una peculiar relación entre el cielo y el bailarín de flamenco, como si todo fuera falso, no una realidad. Las relaciones humanas están dadas con una ironía de primer orden: «Alguien, en algún sitio, ha echado a andar toda la maquinaria del gran baile, / y luego ha pretendido que seamos nosotros los responsables traspuntes y guitarras.» El poeta se aísla con una peculiar actitud de testigo frente al episodio que tiene lugar ante él, sin querer formar parte del mismo, y haciéndolo con humorismo del bueno. La actitud frente al bailarín convierte a la figura en algo melodramático y risible, quizás hasta con su dejo trágico observado con humorismo elegante: «pero ése, ése que ahí arriba zapatea, y da rítmicos golpecitos contra el piso, / tacatas, tactac, tacataca, tacatac, tactac, tactaca, ¡tac tacataca!, / ése, ¿a quién llama desesperadamente?». La versión poco convencional se basa en una distorsión por medio del humor, en una proyección inesperada en la interpretación de los elementos ambientales, en un colocarse desde afuera con respecto a la situación, que nos presenta a Gastón Baquero como un original, único, especial, costumbrista poético.

Otros poemas nos llevan a nuevos ámbitos dignos de cuidadoso análisis que dejamos para otros o para otra ocasión; agreguemos, simplemente, que *Memorial de un testigo* deja pruebas claras de la altura poética de Gastón Baquero.

BECERRA, Sergio, *Poéticas* (Miami, 1964), 35 ps.

Poesía de combate de tipo directo que narra experiencias del autor relacionadas con la lucha en contra del régimen castrista .En el libro nos encontramos poemas que se refieren de modo directo al problema cubano, algunos de tono

bélico; otros, con una perspectiva infantil de raíz martiana.
Incluye, además, poesía de tipo sentimental, de tonalidades
becquerianas, que constituye lo mejor del conjunto.

BECERRA, Sergio, *Lejos de mi patria* (Editorial Aip, Miami,
1970), 64 ps.

> Sigue la línea de la colección anterior. La nota nostálgi-
> ca («No quiero otras tierras ni otros mares / ni otro sol que
> no sea el de mi cielo») resulta más agradable que el combate
> apasionado.

BUSH, Juan William, *Los muros rotos* (Miami, 1967), 12 ps.

> Una muy breve colección de poemas que el autor dedica
> «a la memoria de Alden van Buskirk, muerto en San Fran-
> cisco, algún día de 1962, a la edad de veintidós años». La
> brevedad de esta colección va en proporción inversa a la ca-
> lidad de los poemas, de los mejores publicados en el exilio.
> Edición limitada a cien ejemplares.

Aquí nos encontramos con una poesía legítima, contenida al
mismo tiempo que emotiva, amurallada pero no infranqueable.
Tiene esa medida exacta mediante la cual el poema no se convierte
en inútil laberinto en el cual las palabras desajustadas nos hacen
sospechar que se trata de un vacío.

Los poemas también mencionan el exilio. «Es el exilio. ¿No
ves? / ¡Las mismas algas, las mismas olas! / ¡Te impulsan loca-
mente hacia los puertos! / ¡Te catapultan por sobre costas y vele-
ros!» Pero el exilio de estos poemas llega a tener un sabor diferente, transido de universalidad, como si se hubiera asimilado
hacia un más allá. «Asilo infinito de estos dedos / ¡Qué búsqueda
por estas tierras! / ¡Alza mis velas, que el vendaval está ya en el
horizonte! / ¡Válgame el extranjero nombre y el ancla alcemos!»
Se llega así a la esencia del exilio, al destierro total del cual somos
víctimas, carente de espacio y de tiempo. Esa quintaesencia del
exilio es producto de otros exilios más elementales que nos hacen
aullar hasta llegar al último: «Yo, que no tengo casa, / busco el
vuelo y abro ventanas, / y aúllo mi nombre sobre los puertos: /
¡William! ¡Juan! ¡Juan!» Es el destierro infinito: regalo trágico

que nos une a otros nombres: «Bástenos, finalmente, que sobre los mismos mares / batan las mismas alas». Unidos en una verdad última, parecemos elegidos de la tragedia para comprender la inutilidad del destino.

Es por eso que los encuentros inmediatos están transidos de la conciencia del vacío en que se mueven: «Por última vez nos decimos las cosas más tiernas / a sabiendas de que son inútiles». Desterrados, fantasmas perdidos «en la dimensión del mito», marchamos hacia territorios extranjeros: «porque ya no será posible hablarte. / Tu idioma será extranjero». De este modo, la poesía de Juan William Bush pasa de exilios inmediatos a otros más amplios, para confundirse en aquellos (o aquel) definitivos.

Mientras tanto, la rutina cotidiana hecha efectiva poesía: «Puertas que se cruzan y ventanas que se abren. / Puertas que se enlazan y desenlazan. / Pasamos de una estancia a otra / para sólo llegar a la más mínima, / a la más elemental de las cosas, / a la convicción más primitiva: / que las heridas no cierran / y que el dolor es sólo / la inútil tarea de quererlas cerrar». Este dolor cotidiano parece ser motivo constante de algunos poetas del exilio, que a la larga es reflejo de una constante de la poesía. No hay grandes novedades en ello salvo cuando se agrega algún detalle único o cuando se dice de esa manera tan efectiva, tan en su medida exacta, como Juan William Bush logra hacerlo en este diálogo poético.

CAIÑAS PONZOA, Angeles, *Versos* **(Colección Blanquita, New York, 1965), 45 ps.**

Junto a varios sonetos, reúne Caíñas Ponzoa otros poemas de varios tipos. Los sonetos son lo mejor de su producción. Trabaja en ellos cuidadosamente y no es difícil encontrarse con bellas imágenes. No hay verdaderamente gran novedad en su poesía, pero las imágenes cuidadas indican que la autora siente una seria devoción por la poesía. Los poemas son diversos. Algunos son de carácter personal y familiar. Otros se detienen en la observación de pequeñas cosas del mundo cotidiano. No faltan poemas más ambiciosos en su intención.

CAIÑAS PONZOA, Angeles, *Diez romances* **(Colección Blanquita, New York, 1968), 39 ps.**

Breve colección poética de Angeles Caíñas Ponzoa, de carácter amoroso, que llega a imponerse, dentro de sus moldes tradicionales, por su calor, su fuerte humanidad, el cultivo de algunas buenas imágenes. La poesía sigue la línea tradicional femenina en la que el descubrimiento de la poetisa misma viene a ser lo más importante.

CAIÑAS PONZOA, Angeles, *Desnudez* (Colección Mensaje, Nueva York, 1969), 56 ps.

Aquí reúne nuevos sonetos con otros publicados en libros previos. Los temas son variados, comprendiendo lo personal, lo familiar, lo cotidiano, la experiencia 'amorosa. Mientras más personal, la poetisa acierta más. Dentro de su tono tradicional sin innovaciones, no deja de gustarnos, por ejemplo: «Me alegro de morir sin un latido,/ de no ser flor para adornar la reja,/ de ser lodo en que nada se refleja,/ de ser humo fugándose al olvido.» También: «Clavo que me taladras y me espinas/ el centro oscuro, la sutil morada,/ que me sujetas a mi propia nada/ y me llevas por todas las espinas.» A pesar de tratarse de un ejercicio poético que no implica ninguna novedad literaria, hay que darle crédito a la 'autora por la emoción presente y la habilidad con que logra expresarla en algunos momentos.

CAIÑAS PONZOA, Angeles, *Agonías* (Colección Alrededor de la Mesa, Bilbao, 1967), 36 ps.

Parece que a Angeles Caiñas Ponzoa le agrada practicar diferentes moldes poéticos. Dentro de sus temas íntimos y con similares imágenes a las que cultiva en sus sonetos, podemos considerar que acierta principalmente en sus poesías de métrica menor. Mantiene la cadencia, y una poesía sentimental, emotiva, nada revolucionaria en su espíritu, llega a producir un definido encanto: «Fui ánfora/ vacía./ Palmera/ seca./ Campanario/ de piedra/ sin campana./ Ni líquido/ argentado,/ ni dátiles/ maduros,/ ni repiques/ sonoros,/ me brindaron/ la gracia/ de sus vinos,/ sus frutos/ o su música». *Agonías* hubiera resultado una mejor colección si la autora la hubiera limitado a los poemas de este tipo.

CAIÑAS PONZOA, Angeles, *Destierro* (Colección Mensaje, Nueva York, 1969), 102 ps.

Esta vez Caiñas Ponzoa limita los temas de sus poesías a la cuestión cubana y a las experiencias de los cubanos en el exilio. Junto a imágenes más apasionadas que poéticas («La fuerza desatada/ del diabólico espíritu/ de Satán») aparecen otras de carácter poético más logrado: «Eramos una granada mazorca/ de maíz». De un extremo a otro van los poemas y de vez en cuando surgen momentos de gracia lírica: «Así,

como el caracol,/ ando con mi casa a cuestas/ sin saber
adónde voy», que nos descubren su «Destierro en New York».
Narraciones cortas en prosa de temas similares completan
el libro.

CAMPINS, Rolando, *Sonsonero mulato* (Nueva Sangre, New York,
1969), 114 ps.

> Estos poemas de Rolando Campins recibieron el Premio
> Ciudad de Nueva York del Ateneo de Bellas Artes. Diferen-
> tes motivos del folklore cubano inspiran a Rolando Campins
> estos versos de origen popular. Los poemas que lo inician
> hacen énfasis en el tradicional colorido afro y los usuales
> elementos sonoros que acompañan a dicha poesía. Hacia la
> mitad del libro aparecen poemas más elaborados con menor
> subordinación a la sonoridad fácil. Lo lorquiano está presen-
> te, pero bien asimilado a lo cubano y a la originalidad del
> poeta. En una carta introductoria de Lydia Cabrera leemos:
> «Hacer poesía popular buscando las fuentes subterráneas-
> milenarias, exige del poeta oído fino y mano leve. Creo que
> no te faltan ambas cosas y que te sobra alegría, simpatía y
> comprensión que ponen en tus sones gracia y frescura.»

Dedicado el libro a su tierra oriental («De Oriente soy y soy
palmero. / Toda la sangre india que no tuve / me hace indio. /
Toda la sangre negra que no tengo / me hace negro») los poemas
iniciales de Campins tienen el colorido fácil de la poesía afrocu-
bana, con todo el esperado desbordamiento erótico y la fraseología
popular. Campins sin duda sabe hacer esto con dominio, gracia,
sentido del ritmo, pero creemos que es un poeta que puede lanzarse
a aventuras más elaboradas. Así lo hace hacia la mitad del libro y
surge, por ejemplo, su «Historia de tú a tú», donde el carácter
narrativo no ahoga la calidad poética. El personaje se impone,
los elementos cubanos se destacan, una poesía honda y elaborada («y el humo de un sentimiento / vivo como una pedra-
da») descubre un poeta que puede escoger un camino más sólido
más allá de la superficialidad afro. Por eso, cuando llegamos a «Pré-
dicas de Taita Nicolá», nos encontramos que la poesía es más enigmática, interesante. esencialmente negra, con juegos poéticos de
mayor elaboración. Estos juegos se van acrecentando hacia la mitad
del libro, pero siempre manteniendo un candor infantil y popular.
acompañado del encanto de la localización geográfica: «Cuando
yo iba a la escuela uno dos tres / la maestra era sorda de una
vez, / los pupitres, tan viejos, que no sé / si eran algo con alma o

al revés», «me pregunto si ahora, si tal vez / hay niños y la fuente sigue en pie / deletreando su rítmico ABC, / si hay pupitres con alma o al revés, / si ha muerto la maestra o vive o qué, / si hay soldados marchando uno dos tres / por la calle del fondo en largo tren / con fusiles al hombro... ¡Puede ser!». En poemas de este tipo encontramos lo mejor del *Sonsonero mulato*: el ritmo no se pierde, pero la musicalidad no ahoga lo humano, la sencillez no desaparece en medio de una elaboración más cuidadosa, la narración y el detalle no aniquilan una genuina poesía. Si Campins persiste en la poesía, creemos que es una de las posibilidades más firmes en el exilio.

CAMPINS, Rolando, *Habitante de toda esperanza* (Colección de Poesía Hispanoamericana, España, 1969), 60 ps.

> Campins agrupa sus poemas en tres momentos diferentes que él llama situaciones. Dentro de las diferencias «situacionales», los poemas mantienen una gran unidad poética e hilo temático que le dan al libro un sentido argumental además. Se ve al hombre que marcha de una «situación» a otra, habitante de tres mundos que no acaba por encontrar su perfecta ubicación en ninguno.

Rolando Campins escribe poesía a la medida de nuestros deseos. Es una poesía lo suficientemente esencial para no necesitar ropajes herméticos y artificiales que hagan gala de una pretensión poética que a la larga resulta falsa, al mismo tiempo que está lo suficientemente elaborada para asegurarnos que el poeta no prefiere la línea del menor esfuerzo. Tiene ritmo y encanto, pero por otro lado tiene la suficiente sugerencia para que sus imágenes sigan latiendo en nosotros, asimilándose interiormente y evolucionando. Manifiesta unidad, a la vez que sus cambios situacionales nos demuestran que Campins es un poeta flexible, capaz de marchar con éxito del reino poético de la violencia al reino poético de la esperanza, con una escala poética más intensa en la desesperanza cotidiana.

Los poemas de la «primera situación» son poemas bélicos con un sentido cotidiano dentro de la guerra. El largo día en el campamento de combate se extienda pesadamente y uno lo siente en su angustia sobre el soldado: «Vete, / vuela, / afloja tus pezuñas, / llévate tu cicuta empalagosa, / tu saliva». Campins sabe tomar los elementos de la realidad bélica y darle una forma poética elaborada y sencilla a la vez. Las consecuencias también están ahí: «Hoy me he puesto a llorar, sin ser costumbre, / una lágrima honda. / Por Esteban, por Mario Cruz, por Justo».

De aquellas experiencias parece surgir la siguiente: el destierro, el peregrinar después de la desilusión. Tenemos así «Los desterrados hijos de Eva». Se mira al presente como algo turbio: «La sed se ha convertido en un estanque / y yo no sé qué cosa huele mal». Miramos atrás y la conciencia nos juzga, nosotros mismos: «La soberbia picó mi corazón; / su nata venenosa / me hostigó sin piedad hasta agotarme, / descalabró mi alma, me hizo artífice / de graves bochornosas consecuencias». Esa mirada hacia el pasado conduce a una permanente tristeza en el poeta desterrado. Por eso esta parte del poemario es una mirada hacia atrás, hacia los escombros de un pasado, y un afán de encontrar en el presente un camino hacia el futuro. No lo encuentra, a pesar de la intención del poeta. En vano intenta el optimismo: «Los que padezcan fe, que no se evadan. / Es temprano, es a tiempo, nunca es tarde». A pesar de su desafío a la libertad, su búsqueda y su valiente reto, la nota predominante no es la esperanza. Los poemas que se reúnen hacia el final de esta «segunda situación» dan la nota que se impone, el gusto que queda: la tristeza. En un arranque de sinceridad, nos dice: «No vamos a engañarnos, poesía, / yo soy un hombre triste». Y el poema que le sigue lo reafirma: «Veo caminos sucios, / árboles sucios, / puertas cerradas, corrompidas, sucias; / miro mi soledad sin dios, contemplo / mi viva sed de almas, / mi alma sola... / Bien podría, Señor, cerrar los ojos / e irme con la nieve». Lo cotidiano se vuelve poesía otra vez, ahora más triste, más triste que la poesía del campo de batalla, que al menos tenía vigor. En especial en su «Elegía del recuerdo sonámbulo» la tristeza culmina con la presencia destructora de un dolor interior y de la muerte. «Hasta el amor (¡el todo!) a cosa muerta / olía». «Digo, Eloísa / que era en vano el hacer una criatura / allí, tiniebla, desazón, luz mísera... / si hasta pensar un beso era cansancio / y hasta el amar a Dios era fatiga». Lo pequeño se extiende sobre el poeta con una carga mortal. De la muerte y desesperanza en la Sierra Maestra se pasa a la muerte y desesperanza cotidiana de Nueva York: «(Mi habitación está llena de sustos / y yo no sé qué hacer con ellos.) / Salgo de nuevo hacia la calle larga / —la multitud derrocha los bostezos—». «Salgo a las siete con mi vida al hombro. / Monto trenes. Devoro cigarrillos. / Bajo, subo escaleras infinitas..., / habitación 3-B, 3-B, 3... / sigo en la multitud / donde mi rostro ya no puede». El poeta toma los elementos de su cotidiana existencia y los hace poesía en imágenes bien elaboradas.

La tristeza se impone en los poemas de Campins y su «tercera situación» no nos engaña. Los primeros poemas siguen siendo de franco desaliento. «Con sutiles promesas / nos dieron la esperanza, / y la guardamos / en un libro cualquiera / entre flores marchitas». «Si tocan a la puerta... será el viento / también buscando pan o algún refugio». A veces la esperanza se abre paso entre imágenes de desaliento. Pero la indiferencia de Dios («Hacia dónde Dios mío / con tu mano apocalíptica, / hacia dónde nos tumbas / con marcados empeños»), la presencia del odio («Era redondo el odio») y las realidades políticas del día («La gran idea ha sido echada enfrente de los ciegos») ensombrecen los caminos de la esperanza que inútilmente trata de convencernos en los momentos finales: «Habitantes de toda esperanza, lo afirmo: / habrá que contener el tanto júbilo». No, no habrá, porque el hombre siempre será un hombre triste.

Los poemas de Campins no nos entregan poesías aisladas. Nos entregan algo más que un conjunto poético también: nos entregan un personaje, el poeta mismo, a quien creemos conocer desde hace años.

CASALS, Lourdes, *Cuadernos de agosto* (New York, 1968), sin paginar.

> En una muy modesta edición de sus poemas, aparecen reunidas unas siempre interesantes páginas poéticas de Lourdes Casals. En los poemas no faltan las definiciones, entre ellas las relacionadas con la poesía. Lo abre: «La poesía/ es la política por otros medios./ Poder de la palabra./ La palabra al poder.» Lo cierra: «¿Poesía femenina?/ ¡Mierda!/ Poesía./ O nada.»

Sin embargo, a pesar de Lourdes Casals, existe. Aunque el poeta está en su pleno derecho de clasificarlo a su modo y manera.

En cuanto a la intención política, en un plano local, por ejemplo, posiblemente ciertos poemas de Lourdes Casals no satisfagan. Sea el caso de su «Definición» de exilio («Exilio / es vivir donde no existe casa alguna / en la que hayamos sido niños»). A pesar de ser buena poesía, es dudosa en su contenido político. Si poéticamente la compartimos, políticamente la aceptamos sólo en parte. Libre de las limitaciones que la propia Lourdes Casals se empeña en trazarse y que nos ponen en actitud de observación en cuanto a lo político y en cuanto a lo genético, lo poético casi siempre es un logro, una eficaz unión de lo ordinario y lo elevado en un denominador común que la poetisa, o el poeta, o la poeta, no sabemos cómo debe decirse, prefiere: «Poesía».

CASTRO, Angel A., *Poemas del destierro* (Cometa, España, 1971), 62 ps.

Este libro de poemas destaca la significación humana que tiene el choque cultural hispano-sajón a consecuencia del exilio. Poesía de estructura demasiado simple, lo que interesa en ella es la experiencia humana que se impone sobre la experiencia poética. Los poemas están precedidos de un proemio de Gloria N. Smith y un post-proemio de Edward Ladd. Este último es el más certero pues se refiere al aspecto humano de la poesía de Castro, y por extensión a la de muchos cubanos exilados. El post-proemio de Ladd hace referencia a experiencias vitales del poeta Ovidio y las compara desde un punto de vista humano, no desde un punto de vista poético, con la experiencia dramática del autor. Y de paso, la fina interpretación del profesor Ladd indica que también hay amor, y que no todo es odio, dentro de la supuesta barbarie del destierro.

CEPERO SOTOLONGO, Alfredo, *Poemas del exilio* (Rex Press, Miami, 1962), 25 ps.

Poemas sobre Cuba escritos con la perspectiva del exilio y del combate anticomunista. Enfasis en las «primeras palabras» del autor («Hordas crueles», «Atilas-modernos», «Imperio de la Justicia») y en el prólogo de Medrano: «en estos momentos, todo elemento de expresión debe ser empleado como arma de combate». Sin embargo, no le faltan a Cepero Sotolongo en algunas ocasiones las condiciones de poder revestir su mensaje combatiente de una cierta elaboración poética, tal como vemos en «Invocación» y «Sobre Cuba», que pertenecen a la tradición latinoamericana en que la temática reivindicatoria se ajusta a un sentido señorial del poema. En algunos «cantos» no faltan imágenes afortunadas que después aparecen ahogadas por otras de tipo directo: «Ya no somos sinónimos/ de ningún diccionario económico foráneo./ Cuba no es azúcar, petróleo Venezuela,/ no es trigo la Argentina, ni Bolivia es estaño» vs. «Sobre el corcel revolucionario/ cabalgan las hordas comunistas».

COAYBAY, *Nuestro Gustavo Adolfo Bécquer* (Ediciones Universal, Miami, 1970), sin paginar.

Cuatro poetisas cubanas (Martha Padilla, Josefina Inclán, Pura del Prado y Ana Rosa Núñez), bajo el denominador común de «Grupo Coaybay», deciden rendirle homenaje a Bécquer en una cuidada edición, cubanizarlo («Genealogía de un sueño»: «Línea cubana de los Bécquer»), y dedicarle unos poemas (Padilla y Núñez), donde no falta la integración de nacionalidades: «Cubana, llega hasta su España...»

CORTAZAR, Mercedes, *Dos poemas* (New York, Osmar Press, 1965), 51 ps.

Se trata de una edición bilingüe, en español y en francés, con una introducción, versión francesa y ensayo de bibliografía de Servando Sacaluga. El libro contiene dos largos poemas de Mercedes Cortázar, el primero de los cuales, «El largo canto», ya había sido publicado en Cuba en 1960. El segundo, «Tierra», aparece dividido en dos partes.

El primer poema del libro tiene, en cuanto al contenido, un sabor algo trasnochado de poesía femenina (obsérvese su final: «no importa / ¿no ven? / he empezado a bailar descalza»), aunque en general la poetisa mantiene una forma de homogénea belleza («¿qué será de los conciertos de Vivaldi / y de aquella cosa indescriptible / de aquel olor a mástil y a caoba / que impregnaba tu presencia a mi aire?»): si no nos satisface más la poesía es a causa de su temática; nos parece que Mercedes Cortázar posee un dominio técnico que podría ajustar a una temática de más interés y más largo alcance.

Más a nuestro gusto resulta la temática del segundo poema. No menor acierto logra Mercedes Cortázar en cuanto a la forma. Bien acopladas ambas y ajustadas a nuestro gusto personal, surge la temática preferencial: el marco de la desolación, la ciudad («aún no hemos descubierto la razón de los días / y nuestro grito no es

sino una rebelión de idiotas / la humanidad pierde su paso en la
ciudad»); la cotidianeidad de esa desolación («en los túneles que
se divisan / por las ventanillas del tren / entre las finas gotas de
agua que labran el cristal / ¿quién desata entre ellos el odio?»;
«en la sucesión de los días / obtenemos conclusiones / definién-
dolas con el nombre de experiencia»; «¿lo inútil del instante no es
acaso / una pequeña muerte que nos toma por sorpresa?»); la desolación dentro del poeta mismo («perdidos en el hueco de la ciudad / manifestamos nuestras rebeliones / que no son nada ante la
primera palabra del agua»); la apocalipsis final en desolación absoluta, irremediable e inevitable: «si tienen oídos / oigan el cre-
pitar del fuego en el fondo de la tierra / y el viento que se adue-
ña / de las paredes que ayer fueron sus obstáculos»; «sólo se
extiende la palabra: Fueron».

Ajustada en la armonía, los versos de Mercedes Cortázar ofrecen en lo temático un desolado y desajustado contenido.

DIAZ MOLINA, Jorge, *En la ruta del deber* (1969), 91 ps.

El libro se abre con una serie de unidades temáticas en prosa que indican la intención del autor, siempre más patriótica que poética. Este espíritu patriótico es el que domina todas las composiciones. En el conjunto nos encontramos las tradicionales invocaciones religiosas («Oye mi ruego, Señor,/ nacido del corazón»), el grito al combate («Cubano, la Patria en cadenas/ a gritos te llama»), referencias a la realidad nacional («La brutal crueldad/ que nos esclaviza»). No faltan lo sentimental y las referencias melancólicas al paisaje y a elementos típicos cubanos; lo mejor, posiblemente, del conjunto.

ESTENGER, Rafael, *Cuba en la cruz* (México, 1960), 110 ps.

Libro de los primeros momentos del exilio, los poemas manifiestan fuertemente su compromiso político, llegando a veces a referencias personales demasiado marcadas: «Y Mañach, impasible para el dolor ajeno». De mayor altura son otros poemas como «Lección y ejemplo de la palma real» («Sobre el paterno barro, altivamente/ dirigida hacia el sol como una espada/ que empuña oculto gladiador yacente») o «La ciudad enferma», aunque Esténger no tiende a mantener el mismo nivel siempre.

FAJARDO, Pablo R., *Formas y espíritus* (Miami, 1970), 98 ps.

Predomina lo sentimental, con notas y vocabulario modernista. No falta la poesía de influencia becqueriana: «Soy rimante llamarada...» A ello une Fajardo las invocaciones patrióticas y las experiencias directas del exilio: «Exilio sin palmas, con habla extranjera», «Con muchachias Go Go en vez de Rumberas». Algunos poemas cortos son el mayor acierto de un conjunto que se mueve en demasiadas direcciones.

FERNANDEZ, Mauricio, *Meridiano presente* (Cuadernos del hombre libre, Miami, 1967), sin paginar.

Breve colección poética de un escritor auténticamente interesado en la poesía. Fernández trabaja sus versos cuidadosamente, lo cual no quiere decir que no manifieste un gran interés por el drama del hombre. El conflicto humano conjuntamente con su estilo forman unidad y un elemento parece inseparable del otro.

El recorrido de Mauricio Fernández, por el momento, parece marchar hacia una poesía de imágenes cada vez más difíciles de interpretar. Los temas resultan básicamente los mismos y el estilo poético también, salvo que parece hacerse más complicado, a veces inútilmente complicado. Por eso *Meridiano presente* presenta un poder poético que contiene de manera esencial los valores y las características de su poesía.

Cada línea obliga al análisis, pero no es todavía un análisis penoso mediante el cual el lector llega a preguntarse si ha valido la pena el recorrido. Al final de cada poema hay un contenido humano que no aparece aniquilado por la infranqueabilidad poética. En poesía nos parece que el hermetismo puede resultar tan inútil como el más convencional de los clichés.

De todos modos éste no es el caso específico de *Meridiano presente,* sino de la poesía de Mauricio Fernández en general. En cuanto a este libro, tiene la medida exacta: las imágenes se integran a la angustia con armonía absoluta. Sus imágenes están traspasadas de inquietud: «Los arrecifes señalan la marea / que deja los caracoles en la arena. / Otros pasos recogerán / el justo tiempo que desaparece / en nosotros: meridiano presente». Hay en Fernández una angustiosa conciencia del estatismo y del devenir, es decir, del tiempo. Dentro de un mundo estilístico diferente, nos recuerda a «Azorín», otro preocupado de este acechante enemigo. Mientras tanto, somos «meridiano presente». El sentido apocalíptico que se reiterará una y otra vez en sus otros libros, está presente en éste: «El miedo a la muerte es familiar. / Se derrumban los techos, / las paredes se desintegran. / Sólo el frío del metal parece vivir / cuando se hunden los polos». Todas las cosas parecen confabularse contra la pequeñez de la existencia cotidiana en que nos encontramos sumergidos. Nos perdemos en masas informes: «Todos juntos parecen iguales / con las mismas arrugas de la prisa». ¿Soluciones? Ninguna. «Ninguna pregunta ha sido contestada. / La interrogación aguarda. / El error persiste». El hombre, sin embargo, intenta las soluciones: «Dicen tantas cosas / que las calles se llenan de papeles / con la rúbrica del tiempo, / que ajeno al dolor que se escribe, / deja su huella / en las esquinas de la ciudad». Meridiano presente, el hombre marcha inútilmente en un mundo apocalíptico, en medio de un vacío colectivo, haciendo esfuerzos que no lo conducen a ninguna parte.

Este es el mundo contemporáneo de Mauricio Fernández expresado en justa medida poética en este libro suyo que preferimos.

FERNANDEZ, Mauricio, *El rito de los símbolos* (Ediciones Escorpión, Miami, 1968), sin paginar.

Dedica estos poemas el autor «a la bruja de» sus «sueños». La colección es muy breve, formada por siete poemas. Resultan más complicados los símbolos que aquí reúne que los que introduce en el libro anterior. Algunos motivos poéticos preferidos por el autor reaparecen, como ocurrirá nuevamente en otros libros.

Devenir: «vivimos el misterio de los cambios». Caos, sociedad impersonal que asfixia: «Nos posee la insegura vigencia / del átomo pulverizado / en calles de rostros ajenos». Búsqueda del hombre en una ciudad que domina: «buscan el horizonte / tras la sal que sorprende al caminante / sumergido en el asfalto». A veces, como en el segundo poema, un aliento de esperanza y una razón poética, nota que no es la dominante: «Reclamo el derecho a la poesía / y busco la región donde vuelve la confianza». La inutilidad del tiempo: «El tiempo de nuestra ausencia ha crecido / en la corteza de los árboles»; «Se olvidarán las calles con sus números en las puertas». La constancia de este tiempo implacable e inútil se perfila como uno de los motivos preferidos de Mauricio Fernández. El libro es una prolongación del anterior, de similar nivel, no de superior altura.

Se une al conjunto un poema de índole erótica, bien ejecutado, que da más bien una nota ligeramente diferencial que es conveniente: «Las lagunas se desbordan suavemente sobre la cama, / sueños eróticos entretejen el dilema / guardan la simetría del deseo acumulado». Pero Mauricio Fernández seguirá martilleando en sus otros motivos preferenciales.

FERNANDEZ, Mauricio, *Los caminos enanos* (Ediciones Escorpión, Miami, 1969), sin paginar.

> Otra breve colección de poemas de Mauricio Fernández. Insiste en motivos similares y el ritmo que mantiene es el mismo de *Meridiano presente*. En el último poema explica las razones de su poesía. En espera de tiempos mejores, va. mientras tanto, cultivando la poesía: «Hasta cuando sea: este poema».

La constancia de motivos y la similitud en la expresión de los mismos, así como la constancia del hacer literario, nos hace pensar que Mauricio Fernández se dirige a la poesía con un auténtico interés, no como accidente extraliterario. Eso le da al escritor un valor que no debemos desconocer y que nos obliga a distinguirlo de aquéllos que cultivan la poesía de modo esporádico. Esto es virtud poética, aunque, claro está, no es suficiente. La poesía, que es debilidad del hombre y del escritor en general, resulta género preferencial en el mundo latinoamericano, excusa, a veces, por la que se encauzan apetencias individuales; colectivas o políticas en muchos casos. No (y creo que nos repetimos) en el caso de Mauricio Fernández.

Después de *Meridiano presente, Los caminos enanos* nos parece de lo mejor de Mauricio Fernández. El hombre aparece nuevamente sumergido en un vacío: «Son los caminos enanos / quienes pretenden ignorar el reflejo de todos los misterios». La historia vuelve a repetirse en un tiempo cíclico «azoriniano» y eterno: «Pronto nos veremos cruzando el mismo puente / a la hora de todas las tardes / bajo los almendros que conocieron otros secretos». Como en el mundo de «Azorín», se trata de un devenir que llega a resultar estático. Y nuestra individualidad llega a sumergirse en el todo, que es geografía e historia: «Los rostros que poseo se disuelven en los espejos». Esta inmersión de nuestro yo en el yo total del mundo, está muy bien dada por este espíritu desintegrador que hay en la poesía de Mauricio Fernández: «He visto la huella de anteriores pasos. / En mi propio destino / reunir las voces dormidas / y crear la sombra de un nuevo círculo». Dentro de un mundo desesperanzado, un poema que da un mínimo de razón de ser, porque «hay ceremonias que merecen ser descubiertas. / En cada momento que realizamos la tarea de vivir / pretendemos llegar al clímax de lo perfecto, / intoxicar nuestros cuerpos / del más elevado sentido para crear planicies infinitas / cuando tan sólo navegamos entre límites fijados por el tiempo».

FERNANDEZ, Mauricio, *Región y existencia* (Afiche, Miami, 1969), sin paginar.

Más extensa colección de poemas de Mauricio Fernández. Los temas resultan similares. Mauricio Fernández sigue preocupado por el paso del tiempo, el vacío de la existencia, las multitudes anónimas, el aniquilamiento de la personalidad dentro de las masas colectivas. Los poemas siguen careciendo de elementos locales que nos lleven a reconocer a Mauricio Fernández como un poeta particularmente cubano. Entre los poetas cubanos en el exilio, Mauricio Fernández es de los que más se aleja de los elementos localistas típicos que resultan los favoritos de muchos poetas.

Sin embargo, la temática llega a resultar monótona a estas alturas del recorrido. Además, como se trata de una angustia genuina, pero corriente del hombre contemporáneo, no es lo suficientemente valiosa si el respaldo poético no resulta sólido. Hay que reconocer que esta angustia se viene haciendo lugar común. Y las imágenes más complicadas de *Región y existencia* no tienen que ser, por motivos de su complejidad, mejores. Preferimos, en fin, los libros anteriores de Fernández. Insiste en «calles que no responden a la necesidad / de esta fiebre que nos agota». Pero la forma, más enigmática cada vez, va desembocando en el vacío: «Ya se mueven los vehículos que atomizan el horizonte / el párpado inquieto sueña / llegan cartas, poemas». Perdiendo, además, la mínima cadencia que a la larga le hace tanto bien a la poesía.

Va cayendo así Mauricio Fernández en un vacío poético que es el resultado de su percepción del mundo. Se pierde en un círculo vicioso existencial y lírico. Su propia poética, certeramente, llega a convencernos de su inutilidad: «Reemplazamos palabras enteras / poemas dispersos que no conducen / frases inútiles cargadas de los sueños / (que para quedarse, sólo saben morir / con una piedra en el fondo del mar)». Las imágenes se hacen un vacío, desencanto del poeta que termina en desencanto del lector.

FERNANDEZ, Mauricio, *Calendario del hombre descalzo* (Ediciones Escorpión, Miami, 1970), sin paginar.

> Continuación de la línea poética anterior en cuanto a tema y a estilo. Indica el permanente interés de Mauricio Fernández en la poesía. Esta colección de poemas, que se encuentra editada en forma de calendario, aparece ilustrada por Baruj Salinas. Las ilustraciones de Salinas tienen un carácter abstracto que hacen juego con los poemas del autor.

Los poemas de *Calendario del hombre descalzo* requieren una interpretación lenta y un tanto penosa. Las imágenes deben ser cuidadosamente descifradas, pues el autor ha puesto especial interés en envolver las ideas con un elaborado lenguaje. Después de descifrar los poemas surgen los temas del mundo de hoy y del mundo de Fernández: el caos de la existencia, la insignificancia del hombre, el misterio de la vida, el vacío de lo cotidiano. En fin, nada nuevo. Este descubrimiento, que es la intimidad de la poesía, se obtiene mediante un proceso lento en el que se penetra trabajosamente (por lo menos nosotros penetramos trabajosamente) en las imágenes. Al final llegamos a preguntarnos, algo cansados, si la constancia del esfuerzo no acaba dañando al poema, como en el caso de un chiste que se explica. Aunque Ortega y Gasset dijo que la poesía era «eludir el nombre cotidiano de las cosas», pensamos que, a veces, hay que estar algo alertas al respecto.

No faltan en este libro, como en todos los de Mauricio Fernández, imágenes que dejen clara constancia de la presencia de un poeta serio. Mauricio Fernández es, sin duda, uno de los poetas en el exilio con mayores posibilidades para hacer una obra en firme, a pesar de nuestras objeciones. Pero esperamos que con el último mes de este calendario vaya hacia caminos que lo conduzcan hacia nuevos rumbos.

FLORIT, Eugenio, *Antología penúltima* (Editorial Plenitud, Madrid, 1970), 366 ps.

> El autor indica: «En la Advertencia que aparece al frente de mi *Antología poética* de 1956 escribí lo siguiente: 'Esta Antología recoge lo que de mis versos prefiero. Deseo, pues. que se tome así, como expresión de mi voluntad hasta el momento de su publicación. Tal vez el paso del tiempo la modifique o la corrobore. El mismo tiempo lo dirá. Hoy por hoy esto es lo que del conjunto de mi obra me parece mejor para reunirlo a que salga junto.' Ahora. en 1970, creo válidas esas palabras.»

El libro de Florit se abre con un extenso y excelente estudio del profesor José Olivio Jiménez sobre la poesía de Eugenio Florit. Nos parece lo más certero dejar constancia de la obra poética del poeta a través de algunos párrafos del prologuista.

«De 1920 datan los primeros poemas de Florit. Y en 1955 publicaba el que por bastante tiempo (es decir, hasta 1965) iba a ser su último libro conocido: *Asonante final y otros poemas*. Los treinta y cinco años que van entre los indicados, 1920 y 1955, los fue llenando el poeta con una obra continuada y rica, animada interiormente por un principio de evolución que con toda legitimidad permitía situar a aquélla al nivel de lo que en la poesía hispánica ocurrió a lo largo de ese período. Y bien conocido es el agudo tránsito operado en ese lapso. Se trata, nada menos, que del paso de la aventura estetizante de entreguerras hacia esta otra poesía más llana, suelta y natural, vuelta afanosamente al quehacer del hombre y su circunstancia, la cual parece regir en nuestra hora de hoy. La obra de Florit resume, como en un microcosmos, esa historia general de la poesía contemporánea en una de sus épocas de cambios más afilados y visibles. Por ello, al lado de sus calidades intrínsecas, la labor del poeta cubano cobra esta otra significación ejemplar: la de haber sabido vibrar en cada momento (dentro del ámbito mayor en el cual se inscribía, o sea, el de las letras cubanas e hispanoamericanas) con el ritmo acompasado y exacto, contribuyendo en buena medida a impedir ese lamentable fenómeno que es el retraso, la deshora... Cuba, en particular, ha de agradecerle el haber llevado a sus playas el tono poético justo en el instante justamente indicado.»

Concluye José Olivio Jiménez: «Los poemas últimos, sin embargo, parecen más cargados de humana inquietud, de vibraciones de más inmediato y nervioso signo. De cómo el poeta integrará la volición trascendente (*su éxtasis de hombre junto al cielo*) con esta afirmación vital y más terrena (*la cálida sangre verdadera*), queda en espera el lector de una segunda *antología penúltima* de Florit. La integración no será ardua; pues su nueva poesía le nacerá, como hasta ahora, de su vida interior, y la reflejará lentamente. Implicará, en todo caso, para su bien y el nuestro, un enriquecimiento de matices, en el sentido de lo humano, del mundo poético hasta aquí cantado. Mundo que, por imperativos del voluntario despojamiento espiritual impuesto, pudo por momentos parecer amenazadoramente cerrado; pero que por feliz fortuna, en los años recientes, ha ido abriéndose de esperanzadora manera».

FOLCH, Nina, *Cosecha de otoño*, 160 ps.

Poemas sentimentales donde predomina la nota del desengaño. También hay poemas que hablan de Cuba, siempre añorada por la autora. Un tono religioso es palpable en muchos de los poemas. La poetisa no pretende ninguna innovación poética y el libro pertenece al tipo de poesía emotiva de limitado alcance.

GARCIA, Eulalia, «Yamín», *Amanecer* (Rex Press, Miami), sin paginar.

Poesía patriótica y sentimental.

GARCIA FOX, Leonardo, *Poemas del exilio,* 26 ps.

Predomina principalmente la influencia modernista, mezclada, lamentablemente, con algunos versos que suenan a Campoamor, como en su soneto «A la manera de Lope»: «ella al verlo le dice majadero;/ porque vas a buscarlas en la seda/ teniéndolas más cerca en mis mejillas». Une lo prosaico al vocabulario refinado. Pero dentro del conjunto nos agradan ciertas evocaciones al pasado cubano. Resultan agradables y nostálgicas, como ocurre con «Patio colonial»: «Canteros y humedad y aire encendido/ de aroma y luz y fruto en verde rama;/ paz monacal que cunde y desparrama como el gotear de un surtidor dormido...»

GARCIA-GOMEZ, Jorge, *Ciudades* (Plenitud, Madrid, 1964), 90 ps.

Este libro aparece dividido en tres partes que están unidas bajo el denominador común del título, el plano vital del hombre, sus moradas, como nos explica el autor. El propio

> poeta nos habla de los tres mundos poéticos en que divide
> su obra. «Los *Cantos de Angerona* intentan ser la expresión
> de la interioridad de la experiencia... La *Muerte de las Furias*
> constituye un esfuerzo de interiorización de lo que rodea al
> poeta, las cosas y los hombres que se resisten a la armonía...
> *Voces Transfiguradas*... constituyen... un estadio final... la cir-
> cunstancia aparece inconexa, indiferente... La irracionalidad
> y sin-sentido de la vida cotidiana en coexistencia con una vida
> personal alterada... se manifiesta en esta última parte como
> comprobación de la irrealizable esperanza del poeta...»

La experiencia interior del poeta durante los «Cantos de An-
gerona» está dominada por una especie de subconsciente acuoso
que predomina en los poemas que abren el libro. Las imágenes
evolucionarán, pero esta nota impregnada de la tristeza de la lluvia, permanecerá permeando esta primera parte. Las formas acuo-
sas se fijan: «Los ojos de la lluvia / tienen su asedio entre la noche.» «La lluvia me vigila lentamente.» Es un elemento tan esencial que el poeta lo integra a lo erótico, sumergido en tristeza:
«Mis oídos marchan / entre la lluvia de las noches. / Cuando,
abandonados, nos movemos / en pos de la lujuria.» La lluvia lo
impregna todo de tal modo que ella misma es esencia poética:
«Hay un poema oculto en cada gota.» De este modo, la morada
interior está dominada básicamente por la imagen gris de la lluvia, aunque hacia el final otra imagen intenta dominar, como creadora de equilibrio: «Cálido es el paso del silencio».

En la segunda parte el hombre se enfrenta al tiempo histórico:
«Somos los hijos, los herederos / de lo antiguo.» Cada día parece
pesar sobre el hombre y se sigue acrecentando la noción del tiempo: «Las mañanas aparecen lentamente / como dormidas fuerzas».
La conciencia del tiempo se va acrecentando a cada paso: «Nuestros días pasan, uno a uno, / las parejas, / los silencios que nacieron y transcurren». El mundo va pasando ante los ojos del poeta en un panorama que es esencia de la desolación: «Los pobres,
los soldados, las mujeres / violadas: / Marchan así, / con sus
hambrientas manos (como guadañas) / y devoran la sombra». Nota
típica en la desolada percepción del mundo.

Llegamos así a «Voces transfiguradas». Dentro de un lenguaje
hermético todavía, descubrimos la experiencia más inmediata y
cotidiana: «Hoy han tocado / la sinfonía de los desamparados».
El mundo abstracto de algunos momentos iniciales se va haciendo
palpable a través de la experiencia: «Calle arriba anuncian un mitin y van las mujeres / con nubes amarillas / a fijar carteles y ho-

jas verdes.» De este modo, el libro va presentando una evolución desde formas poéticas herméticas iniciales, de poesía no siempre tersa, a una angustia más intensa en el medio y a un paisaje más concreto hacia la primera parte del final, hasta volverse a encerrar la poesía demasiado dentro de sí misma en los últimos versos. La palabra domina otra vez, como si le temiera a lo apasionado y concreto.

GARCIA MENDEZ, Modesto, *Cantos de libertad* (Miami, 1961), 23 ps.

> Típica poesía de combate. En la primera página se define la intención del libro: «una obra inspirada en el exilio basada en el seno de la clandestinidad. Modesto García Méndez expone en esta obra la lucha de los patriotas y mártires contra aquéllos que mancillan nuestra Patria». A la referencia a la Cuba castrista une el autor aspectos críticos con respecto a divisiones entre los cubanos en el exilio: «Hablaba de la unidad/ con la mano en el bolsillo,/ y un aplauso de amistad/ le seguía en estribillo».

GARCIA TUDURI DE COYA, Mercedes, *Ausencia* (Madrid, 1968), 136 ps.

> El libro de poesías de Mercedes García Tudurí aparece dividido en dos partes: «Ausencia de lo presente» y «Presencia de lo ausente». Eduardo Luis del Palacio nos dice en el prólogo: «La obra da por presente a lo ausente; y, en efecto, produce la sensación de ser una autobiografía espiritual de quien la redactó con personalidad como desdoblada...; y en la ausencia de lo presente veo yo que una fuerza incontrastable lleva a ese doble... a tiempos, no ya por idos añorados, sino también a los venideros presentidos». El juego entre presencia y ausencia va camino de la forma unitiva en Dios.

Mercedes García Tudurí se distingue porque vuelve su mirada a los místicos, entre los cuales la figura de San Juan de la Cruz resalta en su noche oscura camino de un encuentro del Amado y la Amada. Despojándose de todo ropaje, quisiera la autora ese encuentro definitivo, en el que, a veces, no sé, nos parece descubrir un remoto rescoldo de duda unamuniana. De todos modos, su poesía es de ascensión espiritual, cosa que la distingue de los oropeles román-

ticos, modernistas, sensuales, eróticos y sentimentales, que resultan
tan frecuentes en los ámbitos tropicales: este refinamiento culto
y clásico y hondo se agradece en un panorama a veces adornado
de demasiadas joyas o «joyas», inclusive en la poesía de terminolo-
gía religiosa, de catolicismo popular y adornado. Poesía nítida, tra-
bajada, pero no novedosa; austera y nada tropical; es sencilla, aunque al mismo tiempo resulta refinada.

Los mejores poemas, en nuestra opinión, son los primeros del
libro; pero el conjunto mantiene una unidad de estilo y de tema
siempre digna. El estado anímico de la poetisa se une al anhelo
que la domina: «A mí misma me abrazo / desesperadamente, / para
en la noche oscura no perderme, / mientras tú llegas...» Dentro
de sus moldes místicos, «Vigilia» es un bellísimo poema: «Vigilia
permanente / del alma por las sombras apresadas; / insomnio tras
la frente, / insomnio por las cosas ignoradas. / La noche silenciosa /
circunda a la obstinada prisionera; / la espera es dolorosa, / la
angustia es por lo largo de la espera.» Manteniendo este tono, flu-
yen los poemas de Mercedes García Tudurí donde la presencia de
la poesía mística española se hace sentir. En la segunda parte hay
presencias que confirman al ausente: «Un charquito entre yerbas, /
donde podrán mirarse / las lejanas estrellas.» Sin embargo la más
sentida experiencia poética está en la agonía inicial de la ausencia.

Si fuéramos a seleccionar un poema del libro como nuestro
favorito, nos decidiríamos por «Isla de mi alma». En este sencillo
poema Mercedes García Tudurí intenta integrar el motivo constante de la mística hispánica al latido local. Quizá menos pulido
que otros, nos parece más genuino y una bella expresión de lo
cubano, tan cantada en el exilio: «Isla de mi alma, breve entre
las aguas sola, / con los mares del mundo batiendo tus orillas, /
vives la estrecha cárcel de tus marinas costas. / Isla de mi alma,
busca las señales secretas, apoyado tu oído sobre las caracolas, /
de rumorosas alas y de trémulas velas. / Mirando al horizonte perdido entre las olas, / ¿qué te sostiene, dime, sobre la mar desierta, /
isla pequeña y sola?»

GEADA, Rita, *Cuando cantan las pisadas* (Américalee, Buenos Aires, 1967), 126 ps.

El soneto inicial de este libro, de fina armonía, es expre-
sivo de la actitud poética de la autora. Partiendo de un elemento inmediato, las pisadas humanas, busca «magia y vue-

lo»: «Luz que el poeta a percibir convida». Distingue la autora entre las pisadas que nos dirigen a la luz, aquéllas que nos sumergen en las sombras, otras que son simple anticipo de la muerte. Pero las pisadas invitan al descubrimiento del misterio que está encerrado en ellas.

El sentimiento poético de Rita Geada es de inspiración becqueriana, como claramente está indicado en las opiniones de la autora que aparecen en una de las solapas del libro: «Intentar develar los mágicos paisajes que habitan tras la niebla que nos circunda, auscultar el confuso y disperso rumor de los pasos...» Es decir: presencia de lo evanescente, difuso, misterioso. Estas esencias las ajusta Rita Geada a su propia manera de decir, ya que lo que predomina no es lo evanescente y neblinoso, sino la perfección armónica. Realmente, no hay evasión, sino el deseo de encontrarse con una última armonía. Hay una actitud de equilibrio ante la vida y la poesía.

Por consiguiente, al contrario de muchos poetas de las generaciones cubanas en el exilio, especialmente los más jóvenes, donde la desolación del mundo en que han vivido o en el que viven es la nota predominante, en la poesía de Rita Geada hay más bien la certidumbre de que la poesía es un seguro refugio que permite alcanzar un equilibrio más dichoso. Sus poemas no intentan llevarnos hacia la existencia, sino hacia la posible armonía encerrada en la poesía.

Es por eso que cuando se enfrenta a la muchedumbre e intenta expresar su desolación frente a ella, no lo logra y cae en el vacío o el lugar común: «autómatas vacíos», «torbellino jadeante», «van en renovada muerte / ...y creen que viven». No capta bien el disonante latido, sino el armónico, y la propia autora parece saberlo, pues ésta es la nota predominante.

Surgen así, desde las primeras páginas hasta las últimas, muchos poemas donde un anhelo de unión en lo perfecto es lo dominante: «Mensajero del alba, / transmutador del tiempo. / De la región insomne llegas, / en colores te viertes / y tu cristal me acerca.» A veces sale de sí misma, de lo personal, de la intimidad, y con similar actitud contempla las cosas y los lugares: «El día cumple su cotidiana misión / mientras la tarde, / hoy como en cualquier día del año / en esta silenciosa ciudad, mojada en prisa, / va reclinando su silueta andariega.» «A orillas del Hudson, / todo a lo largo, / deglutiendo caminos, el tren.» Paisaje que se desliza hacia lo delicado y lo perfecto de igual modo que aquellas poesías de intención más íntima.

Sin embargo, para Rita Geada la poesía es un reino perfecto en última instancia inalcanzable, como también nos decía Bécquer, un inconforme de la palabra. Si el interior es absolutamente poético, el exterior no la deja nunca satisfecha. «Yo dibujo palabras nunca dichas / y dibujo figuras en el aire / que el papel no recoge.» «Traicionar a la palabra es expresarla, / profanar su misterio. / Si las digo las traiciono, / las desdigo.» No obstante, a pesar de la posible traición, Rita Geada logra muy buenos momentos poéticos.

GEADA, Rita, *Poemas escogidos* (Profils poètiques des pays latins, Nice, 1969), sin paginar.

> Brevísima edición bilingüe que reune unos pocos poemas de Rita Geada. Dentro de la armonía, ya se anticipa una mayor angustia, como podremos ver en su próximo libro. Y un buen ejemplo lo encontramos en el último poema, que aparecerá en *Mascarada*: «Para que ardan todas las mentiras del mundo/ he de arder./ Para que las llamas se destruyan a sí mismas/ has de arder./ Falta un tramo./ Sólo un tramo./ Saltando./ Alcanzándolo podemos ver/ el esqueleto/ de todas las mentiras del mundo.»

GEADA, Rita, *Mascarada* (Carabela, Barcelona, 1970), 60 ps.

> Estos poemas de Rita Geada, escritos entre 1964 y 1969, recibieron el premio Carabela de Oro en Barcelona. Los poemas tienen una dirección diferente al libro anterior de Rita Geada, tanto en lo correspondiente al contenido como a la forma, pero matienen su continuidad en cuanto al nivel poético de la autora.

«A cada instante otro ser se apodera de nosotros para confundirnos y negarnos la explicación.» Tal es el caso frente a este libro de Rita Geada, posiblemente el caso de la poetisa y del cronista. Porque el libro último que llega a nuestras manos viene a ser una negación (en cierta medida) del anterior comentado de la propia autora. Nos llamó la atención en aquél el anhelo último de equilibrio y armonía que lo impulsaba, no dominado por la angustia, y que ofrece un contraste con las direcciones de algunos poetas de las generaciones más jóvenes del exilio. Este, por el contrario, no se opone, sino que es síntesis de esta dirección y uno de sus mejores exponentes. Desajustada de la armonía, Rita Geada se integra a la angustia. Ajustados a la angustia, personalmente preferimos la compañía, pero queda a la autora misma interrogarse sobre su verdadero camino.

Es decir, si la armonía hacía de *Cuando cantan las pisadas* un libro en cierto sentido diferencial, *Mascarada* se vuelve un libro genuinamente representativo. El lenguaje es el directo de la angustia, con un limitado ropaje poético, sin exageraciones, para expresarla de la manera más genuina posible. Cuba está a cada paso, pero integrada al doble destierro que hemos mencionado en alguna otra parte. El episodio histórico, como en otros poetas, tiende a universalizarse. Es por eso que la vivencia histórica late a cada paso de la «mascarada»: «Con mentiras se escribe la historia / mientras la verdad es manca. / Con espinas de incomprensión / la clavetearon.» «Nuevos caínes nacieron. / Todos repitieron el mismo gesto sin sosiego / porque la profecía —decían— / habría de cumplirse en esas tierras / según versaban las escrituras.» «¿Quién es el que mejor finge? / ¿Quién al cabo ganará la competencia? / A la entrada hay un rótulo: / 'Quien no participe en la representación / quedará excluido'.» Los embozados: «Pululan por las ciudades. / Existen en las universidades. / Se exhiben en las vidrieras / o gritan en letra impresa.» «No. No queda tiempo para la risa / cuando nos percatamos / de esta nueva Babel que nos circunda.» «No. / No queda tiempo para el juego, / tiempo para la risa, / cuando los valores se desintegran / en moléculas radioactivas, / de genes de oportunismo creciente.» Este mundo de Rita Geada es una proyección clara de las direcciones más significativas del sentimiento de absoluto destierro que descubrimos en la poesía del exilio, que, conocedora de dos mundos, comprende el destierro de ambos. Es una poesía directa de aquéllos que han visto, tal y como señalábamos ya en algunos aspectos del trabajo introductorio. Parece ser un espíritu común que late en ellos, en nosotros, expresado por Rita Geada con significativa coincidencia en «Doblemente desterrados»: «Volvemos los ojos consternados / y de pronto el desfile. / La pared que se espesa.»; terminando: «Los proscritos. / Los doblemente desterrados.» Conocedores de la verdad, no nos pueden hacer cuentos de camino, que Rita Geada concentra en lenguaje poético cuando dice: «Con esos cuentos a mí que como Tántalo respiro, / desgarrados los poros, / sintiendo caer la gota, la gota inmensa, intermitente. / Devorada por tenebrosos túneles, / de días, noches, meses, años, siglos. / En el aquelarre». «Venir a mí, ¡nada menos que a mí! / empuñando tridentes de palabras / en el espantoso mercado, / en el delicioso, / en el continuo festín / de nuestra época». El sentimiento de una gran parte de los escritores cubanos en el exilio está ahí, expresión de una generación que padece un doble destierro. Sin embargo, no faltan los viejos anhelos, hasta la esperanza del retorno a la armonía: «Devolvedme mi mundo / con sus ángeles de luz y de tinieblas». «¿Dónde están los colores, sus matices? / Devolvedme lo mío o aunque sea / pedazos de su luz deshilachada». «La feria pasará. / Pasarán las palabras hinchadas». «Sólo el poeta, / en voz muy baja, / quedará». De este modo el viejo retorno a la armonía queda como posibilidad dentro del latido poético de Rita Geada, que percibe la posibilidad de nuevos horizontes. Ojalá que tal sea la esperanza de la poesía cubana de los desterrados. No sólo la esperanza, sino su posibilidad: «Sé que todo mar / conduce irremisiblemente a otro mar distante, / que todo horizonte a otro horizonte»: «Fácil toda música mecida por las olas, / todo verso / que irremisiblemente conduce a otro verso / volcándose siempre / en distancias de espuma».

GIRAUDIER, Antonio, *Acorde y asombro* (Alfaguara, Madrid, 1969) 252 ps.

> Este libro reúne las obras en castellano de Antonio Giraudier. En realidad se trata de una edición en la cual el autor reúne en un solo libro su producción anterior. Comprende ocho libros de Giraudier. El primero, *Una mano en el espacio,* data de 1955. Los últimos, *La voz de Víctor Luang. Aceros guardados* e *Invierno esencial* comprenden la producción poética en el exilio: 1962, 1966 y 1969, respectivamente.

En las obras de Giraudier aparecen mezcladas la prosa poética y la poesía. Está formada de los más variados motivos, unidos en una misma página de una manera arbitraria. No obstante, hay una definida unidad en su obra que responde a una actitud poética que no acaba de satisfacernos. Si algunos autores pecan por exceso, quizás Giraudier lo haga por defecto. Le gusta despojar la poesía de elementos decorativos (cosa que en teoría no nos parece mal y que otros poetas han intentado), pero que acaba convirtiendo la poesía en algo árido. El panorama poético, en conjunto, tiene una marcada sequedad.

Los últimos libros de Giraudier no indican un progreso dentro de su producción poética. Resultan los más flojos del conjunto. Dentro de los límites de una poesía congelada, se pueden encontrar aciertos poéticos: «Rascacielos que sombrean ante la aurora. / Cantos de aves despertándose. / Un desentumecerse de lo oscuro. / Y de pronto, viendo pasar los instantes / de tiempo, / uno de ellos, cierra la biografía / de la noche». Poema preciso que aceptamos, pero que aparece seguido de una serie de selecciones en prosa que no favorecen el conjunto y que resultan vacías, a veces superficiales, pero con intención de profundidad: «La verdadera amistad está integrada por uniones puras y esplendorosas». Entre apreciaciones de este tipo, llegan a perderse sus aciertos líricos, los cuales, de entrada, prefieren un tono muy escueto. «El idioma francés tiene eco a medioevo frío», nos dice. Estas especies de «greguerías» y extravagancias menores y tardías («Palabras preferidas: gozne, prado, gallardo, hidalgo, etc.») acaban por dejarnos impasibles. A toda su producción poética le falta un mínimo de nota emocional que le dé amenidad y un soplo de vida más intensa.

Dentro de su poesía antiemotiva, hay percepciones que se pueden considerar certeras. Aparecen aquí y allá y pueden surgir de cualquier circunstancia. Unas veces es la observación de un motivo natural: «El lago helado destruyó / la imagen del sauce / que en él se miraba. / El aliento de la primavera / sopló sobre el lago, / devolviendo un nuevo espejo / al sauce sin imagen». Otras veces se trata de una cosa que participa dentro de la vida del hombre: «Los juguetes son el comienzo / de la vida de un niño. / Los juguetes son el final / de la vida de un niño. / Los juguetes son brillos / breves, que contienen maravillosos desconocimientos / del dolor». Motivos casi gramaticales y casi humanos: «Interjección»: «¡Ah, el portazo en el silencio / de la noche! / ¡Ah, la voz del Diablo / seca y fuerte! / ¡Oh, la breve palabra / de rencor!» Estos breves poemas de Giraudier ofrecen perspectivas interesantes. La poesía carece de pomposidad y de sensiblería innecesarias, cosa que apreciamos. Pero le falta un mínimo de vaguedad para que cobre esa vida esencial que no llega a obtener y de la que está, a veces, muy cerca.

GOMEZ FRANCA, Lourdes, *Poemas íntimos* (Cuban Association of Plastics Arts in Exile, Miami, 1964). 34 ps.

Se dice en el prólogo que «es una poesía de caracteres breves que aún se mueve dentro del ámbito de la escuela

surrealista...» (?), «aunque conserva todavía el sello cons-
tructivista de la poesía clásica».

Ya que de localizaciones poéticas se trata, nosotros nos quedamos con el «haiku». Estos poemas tienen la fina ligereza, el tono
entre preciso y evanescente del «haiku» japonés; encanto similar y similares limitaciones. Se apresa un momento, un instante, una sensación... o se intenta. A veces hasta toda una figura surge con el mismo tono. «Abuelita»: «Eres un marfil / lejanas llu-
vias / viejos recuerdos / Eres apoyo / de lágrimas / y anhelos /
Eres / de espuma / amor / y largos / rezos». Los temas específicamente cubanos son tratados con igual delicadeza, como en el poema
«A la Virgen de la Caridad»: «El mar / te lo pusiste / de manto /
La espuma / de vestido, / y la lágrima / en el espacio / del pecho /
de un / niño guajiro». Pero en conjunto, a pesar del encanto, siempre tenemos la sensación de que falta algo. Pero esto nos pasa, inclusive, con el mejor «haiku».

GONZALEZ, Ana H., *La sombra invitada* (Círculo de Cultura Pa-
namericano, Troy, N. Y., 1965) 54 ps.

> Los poemas que la autora reúne en este libro correspon-
> den a muy diversos momentos de su vida, escritos en dife-
> rentes lugares: 1938, 1953, 1965; Buenos Aires, Capri, Troy.
> Se descubre así un espíritu delicado que recorre lugares y
> que los contempla con emoción poética, indicando un interés
> permanente en la poesía. Selecciones de poetas muy diversos
> nos introducen a sus poemas. A pesar de su variedad, se des-
> cubre el denominador común de un temperamento esencial-
> mente romántico en la poetisa que los ha seleccionado.

Dolores Martí de Cid, en el prólogo, nos explica: «Las tres
partes del libro: «Náufragos», «Laberintos», «Nada», se relacionan
entre sí. «Náufragos» porque así estamos todos y la poetisa ha
sentido embates y oleajes. «Laberintos» porque en ellos nos me-
temos muchas veces, buscando un horizonte que se transforma en
cueva. Y «Nada» como si quisiera diluir la expresión de estas
últimas emociones que no son nada sino mucho, porque ahí está
ella, sintiéndose muerta, rectificándose en su mundo, frente al

mar, o sintiéndose enraizada o hermanada con la tierra, hasta en el dar frutos».

La poesía de Ana H. González es una poesía donde el caudal emocional es lo más importante, aunque la autora a veces juega con las palabras, pequeños artificios, haciéndolo siempre con moderación: «Las palabras, ¡las palabras! / las palabras y el aire / se hermanaron con el viento». Su poesía no pretende la renovación verbal, sino la comunicación espiritual con el lector. Sus mejores momentos son aquéllos en que, con el sabor romántico de Rosalía de Castro, nos hace ver las cosas de modo refinado a través de su mirada. Lo social («Romance negro del negro») y lo sórdido («La serpiente») no son elementos afines a su temperamento. Nos gusta más cuando nos dice: «Ya se acercan tus pupilas en la niebla, / son dos faros en las aguas sin riberas, / alumbrándome el camino que señalan / las gaviotas de mis sueños».

GONZALEZ TADEO, Carlos, *Arpegios de una lira*, 32 ps.

> Poemas de diversa índole, la mayor parte sobre asuntos cubanos, pero incluyendo otros que comprenden asuntos históricos de la índole más diversa, desde el Descubrimiento de América hasta Martin Luther King. No existe ninguna novedad en el estilo.

GONZALEZ CONCEPCION, Felipe, *Poemas de la vida y de la muerte* (Editorial Edil, Puerto Rico, 1969), 102 ps.

> El autor siente preferencia por el soneto. Los poemas tratan fundamentalmente de los dos tópicos tan generales indicados en el título. De lo erótico y sensual pasa el autor a la duda sobre el más allá. Mezcla lo religioso y lo profano. Las imágenes resultan caducas ya, como en el caso típico de su «Duda pagana»: «En la tez de tu pecho un crucifijo/ lucía sus destellos relucientes,/ en tanto que tus dos senos turgentes/ custodiaban erguidos al Dios hijo.»

GONZALEZ CONCEPCION, Felipe, *Versos por Cuba y para Cuba* (Puerto Rico, 1968), 34 ps.

> «Hoy mi verso no es ya, mi voz antigua,/ se olvida de ser flor y de ser ala;/ y lleno de valor se vuelve bala,/ para pe-

lear por Cuba en la manigua.» Esta cuarteta que aparece
en la portada del libro de González Concepción, es típica de
la poesía combatiente de los exilados cubanos: en los dos
primeros versos imágenes nostálgicas de sabor martiano; en
los dos últimos la transformación en algo directo, apasionado,
menos poético. A este molde responden los poemas del autor.

GONZALEZ VELEZ, Francis, *Remanso* (Coral Gables, La Noticia Printer, 1963), 95 ps.

Poemas de tipo erótico que no manifiestan ninguna renovación en el lenguaje: a la autora le interesa expresar sus
estados emocionales. Lo cual no excluye instantes brevemente
felices: «Mis sueños fueron luces/ que apretaste en la mano./
La luz no tiene dueño./ Peregrina de la noche me convierto/
porque un sueño mal soñado/ no se puede retener.»

GONZALEZ, Luis Mario, *Un poeta cubano, poemas y décimas*
(Ediciones Universal, Miami, 1971), 64 ps.

Humberto Medrano, en el prólogo, nos informa: «Luis
Mario González es un repartidor del «Diario las Américas».
Pero a su vez, y por encima de cualquier otra profesión u
oficio, es un inspirado poeta.» Su poesía es popular, de rima
fácil que fluye con ligereza, espontánea, sin intenciones
ocultas.

Vamos a detenernos en la poesía de Luis Mario, no porque nos
parezca superior a algunos casos que hemos pasado por alto,
sino porque Luis Mario es posiblemente un representante
del espíritu mágico cubano que une de modo natural lo humorístico en forma de choteo y lo sentimental en forma de poesía,
dentro de la gracia del actor y el espíritu teatral que es tan predominante en el cubano. Por ejemplo, aunque no faltan en el exilio
las tradicionales versiones de Fidel Castro, es bastante efectivo
en su «Canto a un histrión sin suerte», donde en lugar
de hacer énfasis en el motivo constante del chacal y la hiena
con que se identifica al castrismo dentro del exilio, lo hace con
lo grotesco que hay en él: «Cómico fracasado que desde la tribuna /
pretende ser el émulo de Chaplin y Cantinflas». Es curioso que no
abunde una poesía cubana en el exilio que trabaje a fondo esta dirección (grotesco y choteo elaborado) para atacar de modo perma-

nente al enemigo. Luis Mario no la sigue, salvo momentáneamente, pero tal vez sería una posibilidad a considerar por este poeta popular y espontáneo.

Otro motivo por el cual nos ha interesado Luis Mario es por tratarse de un cultivador de la décima. La décima es la forma poética popular que convierte lo cotidiano en asunto poético y es expresiva del carácter nacional. Luis Mario la cultiva y lo hace muy bien, por ejemplo, cuando nos dice: «Ser poeta es navegar / por un río de tersura, / con la desembocadura / siempre salobre del mar. / Ser poeta es transformar / una piedra bruta en gema. / Es la propiedad suprema / de atrapar con el acento / las alas del sentimiento / en la jaula de un poema». Si Bécquer nos dio su definición de poesía a través de la poesía misma (cosa que hacen los poetas con gran frecuencia) ,no hay razón para que Luis Mario, representando el alma cubana, no lo haga también, y por cierto, con perdón de los becquerianos y poetas «mayores», con bastante acierto.

Finalmente, hay una última razón que nos ha llevado a detenernos en este poeta. Con gracia ingenua, filial y, creemos, campesina, Luis Mario incluye al final del libro unas décimas de su madre, Natividad Pérez. «Me marcho, no sé si llevo / muerto el corazón o vivo, / como un pájaro cautivo / en pos de horizonte nuevo. / Cuando los ojos elevo / a Dios pidiendo clemencia, / siento la magnificencia / de su poder inefable / y algo oculto, indescriptible / me hace notar su preesncia». Si Luis Mario es «un heredero de su inspiración», como nos dice, ello indica a su vez que todos somos herederos de una veta poética nacional que hasta puede desterrarse sin morir, permanecer más allá del ámbito isleño, transida a veces, como en este caso de fe no adornada, de una raíz mística hispánica de la que somos también herederos.

GONZALEZ, Miguel *Sangre de Cuba* (Ediciones Botas, México, 1960), 12 ps.

Poemas marcadamente comprometidos, la poesía es sacrificada en extremo en relación con la posición política del autor. Corresponde a la etapa inicial del exilio, la más apasionada posiblemente, y el autor abusa de las referencias directas a ciertas figuras. Esto hace de la poesía un asunto personal y se suceden nombres del panorama cubano inmediato a Miguel González: Vasconcelos, Ernesto de la Fe,

Sosa de Quesada. No hay intención de altura y se llega al grotesco partidismo. A modo de justificación, Martí es citado al principio: «Los versos no se han de hacer para decir que se está contento o se está triste, sino para ser útil al mundo, enseñándole que la Naturaleza es hermosa, que la vida es un deber, que la muerte no es fea...» Pero nada tan distante del espíritu martiano como: «Guillermo Villarronda: ¿dónde está tu amatista?/ ¿Olvidas los favores que te prestó Batista?»

HERNANDEZ LOPEZ, Carlos, *El lecho nuestro de cada día* (Puerto Rico, 1970). 176 ps.

Este libro reúne, además de selecciones de libros anteriores de Carlos Hernández López, otras páginas, al parecer más recientes, sobre el tema del «lecho». Estas últimas, que forman el contenido esencial del libro, son, en general, demasiado prosaicas para nuestro gusto, pero no solamente por ser prosaicas en lo exterior, que a la larga es lo de menos, sino en su raíz última. De los lechos más prosaicos vamos pasando a otros más ambiciosos dentro de la historia y la literatura, aunque ninguno, a la verdad, invita al sueño.

Lo curiso de este libro reside en que en las selecciones de la producción anterior descubrimos perspectivas de vuelo poético que en los «lechos» se pierden dentro del marco de una imaginación de poca monta. Un poeta que en el 1943 supo elaborar imágenes de cierta efectividad: «(El filo del horizonte / está degollando barcos)»; y que más tarde, en 1948, nos da una bastante efectiva «Balada del caracol» («Yo, que en tus mutismos entro, / sé que quieres regresar, / tumba que estás tierra adentro, / tumba de la voz del mar»), se pierde en una dirección realista donde predomina el «cliché» de las interpretaciones populares y superficiales, como el caso de su «Poema infértil», relacionado con las solteronas y escrito en esa misma época. Es lamentable, porque la poesía pudo haber sido, y fue, en algunos momentos: «Tenía sed la tierra... / Para calmarla, / bajaron largos ríos / de las montañas. / (No fueron suficientes / las limpias aguas.)»; «Esclavo de su cauce, quiso el río / destruir las cadenas de su cárcel, / ser libre como el pájaro y el viento...», ambos de 1951. A nosotros, personalmente, nos gustaría un logro en la madurez de aquellas posibilidades.

LE RIVEREND, Pablo, *Glosas martianas* (Rex Press, Miami, 1963), 50 ps.

> Une el autor en este libro los versos y el ideario martiano con los suyos, guiado esencialmente por el espíritu patriótico, el cual revive intensamente y de modo directo en la etapa inicial del exilio. Los libros que Le Riverend publica posteriormente, son en general más indirectos en su pena de exilado, pero en éste la herida resulta muy reciente y el escritor encuentra que es inevitable dejar constancia de su estado por las vías más claras.

Junto a lo martiano («Como Martí, yo quisiera, / morir, Cuba, a tu reclamo») y al anticomunismo de primera línea política («Tumba la caña, cubano, / tumba la caña, y así, / —guámpara, guámpara, guámpara—, / el ruso será feliz»), nos encontramos, de un lado, el dolor nostálgico que mucho más nos dice de su exilio («Yo volveré alguna tarde al pueblo / cuando los paseantes sean sombras, / y me aguarde colgada a los aleros / de las casas, una ausente congoja»), y del otro, la presencia de sugerentes imágenes poéticas: «El campo ciego que mira / con ojos de espanto seco». «Préndele un sinsonte pardo, / dale lluvia cristalina». «Víctor Manuel: / Píntame un cuadro amarillo / con ojos de espanto seco».

LE RIVEREND, Pablo *Cantos de dilatado olvido* (1964), 32 ps.

Continuación de las líneas temáticas del libro anterior, con variantes y desniveles semejantes, pero donde se va acentuando poco a poco la dirección hacia un dolor que va perdiendo sus fronteras y adquiere una dimensión más fuerte a medida que se va haciendo distancia y olvido.

El exilio se va haciendo esencia y Le Riverend encuentra una feliz pero inquietante compañera poética en la expresión del mismo, una presencia que se irá haciendo más constante en sus poemas: la muerte. Las imágenes del pasado, sin embargo, se hacen a veces más vívidas en el recuerdo: «Calle crecida en mí, en la hermosura», «Tu mano ya no mueve la copa en que me dabas» «Dile al pino que siento la sal de este castigo». Pero un dolor de muerte parece inundarlo todo. El pasado se desvanece en ella y el poeta hace palpable la comunión: «Si lo dijera yo, si te dijera: / Hemelia es tarde ya, y la violenta / sonoridad de mi actitud de antaño, / rota, cascada suena» se va transformando en un «abril lejano»: «Fíjate bien: el manantial es charco, / sucio, color borroso de la saña; / la muerte, antes bella, se me acerca / con su paso borracho equivocado».

Es lástima que Le Riverend no elabore más cuidadosamente el total de su poesía y que algunas imágenes desmerezcan la calidad que descubrimos en otras; o que lo prosaico («te han hecho estercolero, pobre caricatura, / estropajo») no armonice con lo lírico de la forma debida; o que lo convencional y directo también hagan acto de presencia en diversos poemas.

LE RIVEREND, Pablo, *Pena trillada* (Cuadernos del Hombre Libre, Miami, 1966), 48 ps.

Comprende este libro poemas de muy diversa índole unidos por el denominador común de la pena. En el libro encontramos décimas a la bandera cubana junto a interpretaciones filosóficas, notas sentimentales, elementos satíricos, evocaciones familiares. El dolor de la vida y de las experiencias del destierro parecen hermanar los poemas.

Es difícil comentar un libro de proyecciones tan desiguales como *Pena trillada*. Nos es difícil relacionar al poeta satírico, burdamente satírico, de «Moving Pictures», con la refinada evocación nostálgica de su «Carta», especialmente en la primera parte. En su género es una de las poesías más sencillamente hondas del exilio, que muy hábilmente introduce Le Riverend con la cita de Séneca: «Allí no hay más que dos cosas: destierro y desterrados». La brutal intensidad de estas palabras late en la evocación: destierro y desterrados. Cuando los poetas cubanos en el exilio nos dan la nostalgia de la ausencia de Cuba, nos ofrecen su poesía patriótica más sincera, más honda, más dolorosamente anticastrista: «Todos los días entro por la puerta / de madera y cristales; por la puerta / que me abría tu mano, a la amplia sala». El poeta vuelve, como si el tiempo se hubiera detenido, hacia ese momento que no morirá jamás mientras esté fijo en la memoria, esa enemiga agonizante de la muerte: «Al frente tu retrato, aquel que Víctor / pintó cuando eras joven / en la calle Concordia, / que venía a mi cama con su frente nevada / llorándome sus lágrimas de pintura violeta». Destierro y desterrados que retornan a las cosas que han quedado fijas, grietas en el ser, y que dan la intensa medida de la experiencia del alma cubana. «Todos los días entro a mi casa, / que era casa de nube, que era casa de brote / primaveral, aislada, / en medio de las otras». «Cerraba, siete llaves, toda aquella / persecución estéril / que tan extraña me parece ahora». En esta poesía íntima el poeta ha captado todo un lugar y todo un pueblo, que no está en Córcega, estándolo, sino en Miami. A su lado, la restante «pena trillada» palidece. Poesía legítima del destierro, su lamento, debidamente separado de otros, ofrecería una proyección más nítida a la poesía de Le Riverend.

LE RIVEREND, Pablo, *La estrella sobre la llaga* (Ohío, 1970), 35 ps.

El título de este poemario de Le Riverend indica claramente que su intención es elevar su sufrimiento terrenal hacia un nivel más alto. El espíritu que lo anima es de naturaleza martiana, ya que tenemos de un lado la «llaga» y del otro la «estrella». Le Riverend parece ser un hombre genuinamente martiano, como lo indica de modo específico su libro *Glosas martianas*, y posiblemente a ello se debe la doble dirección que es fácilmente observable en su producción poética. Dentro de esto no faltan puerilidades poéticas de dudoso logro, como «El Oso del circo» o «Soy como soy». Por contraste, muy contenido y ajustado, su poema «Parque de Tiffin»: «Detrás de la ventana/ no estoy yo: está el parque./

Sus pájaros dormidos,/ sus árboles/ sin grito vegetal./ En-
cuadra la ventana/ al paisaje olvidado./ Delante yace el par-
que/ en sudarios de nieve./ Detrás/ de mi ventana ciega.»

Como Le Riverend no puede deshacerse de la materia de la que
él y el hombre han sido creados (del dolor de naturaleza de abajo
que es el origen para el lamento de altura), tenemos que aun en
este libro lo más pedestre del dolor no es evadido. Así ocurre, por
ejemplo, con el poema final (el menos representativo del libro, sin
embargo), que a pesar de iniciarse de una manera genérica con un
bello verso, «Pienso que hay que crear un Dios nuevo», se vuelve
bien específico, como parece ser natural en un hombre que no
puede desterrarse completamente del dolor que ha sufrido como cubano y dentro de circunstancias específicas. Las experiencias específicas son las que hacen al hombre y lo llevan a evolucionar hacia
los ámbitos más amplios del destierro. A pesar de que Le Riverend
está cronológicamente distante de las generaciones más jóvenes del
exilio cubano, ya que nació en 1907, a la larga en su poesía vamos
de un destierro inmediato hacia un destierro total: «Parque de
Tiffin». Este último destierro nos ofrece, claro, los mejores versos,
pero no hay que desconocer los primeros, ya que éstos nos dan la
más inmediata comprensión del hombre. No olvidemos también que
a veces, por prejuicios de estética, el poeta (particularmente el
poeta joven) se aleja de lo inmediato para caer en el vacío del
verso. La poesía es una integración refinada y herida del hombre
con la estética, y aunque sería falso decir que siempre Le Riverend
lo logra, ciertamente a veces ocurre así; y nos parece que siempre
lo intenta. Pruebas hay: «Y duele la memoria, / los pensamientos
sangran. / Es la hora de soñar, / de soñar con la mente / de recha-
zos convexos: / ¿cuándo vendrán las alas sin los cuerpos, / y las
barcas de vuelo?». «La mañana se cuelga de la noche / y son las
seis. Ya sale para el trabajo / la crónica tos de invierno. / La mañana / yo la miro partir sudando angustias». «Nací de préstamo y
préstamo / y vivo amilanado. / El óvulo que me fecundó / era de
mi padre, / de mi madre, / la sangre». «Podrán quitármelo todo: /
la raíz que, profunda, / me anudaba a la tierra, / cordón umbili-
cal / de mi madre: La Habana...»

LE RIVEREND, Pablo, *Minutos en mí quedados* (Ohío, 1971),
     36 ps.

Se trata de una nueva edición de poemas publicados por
Le Riverend en 1970. En el prólogo leemos: «Lo milagroso
del espíritu hispánico, tanto el español como el hispanoame-

ricano, es su fortaleza. Se le puede arrancar de cuajo de su
suelo nativo, violentamente llevarlo a una tierra ajena y
echarlo allí como se tira una basura, pero el trato brutal,
lejos de aniquilarlo, lo depura, como si el espíritu supiese
que para seguir viviendo tuviera que deshacerse de toda ba-
gatela. Semejante proceso habrá pasado por el espíritu de mi
amigo Pablo Le Riverend, autor de los poemas que integran
este libro.» Certeras y comprensivas palabras del prologuista
William A. Stapp, aplicables a Le Riverend y por extensión
a otros escritores cubanos en el exilio.

En cuanto a *Minutos en mí quedados* nos encontramos que Le
Riverend sigue haciendo énfasis, aquí más marcado tal vez, en una
poesía de cariz prosaico. Integrar lo prosaico a lo poético es difícil,
ya que parecen ser términos en sí mismo antagónicos y no siempre
el autor sale airoso: «Y ella se guardó el carro con sus alpargatas...»
Aunque en teoría nos agrada la dirección, creemos que Le Riverend
manifiesta un espíritu poético de índole más refinada que le im-
posibilita el perfecto ajuste con lo prosaico. Quizás donde mejor
lo logra es en «Malo en tres tiempos. Y sonriendo»: «¡Qué cerca
siento al niño aquel, / al joven enamorado! / Pues hoy / si añoro
seguir amando, / malo; si ensayo cantar cantando, / malo; / si ansío seguir viviendo, / malo. / Ya no hay tiempo: / malo». De todos
modos no faltan en el libro la nota nostálgica y la latente presencia de la muerte, direcciones en las cuales Le Riverend tiene un
mayor control poético («Apenas soy de luz / porque me gasto. /
Si acaricio palabras / nadie crea que, canto. / Apenas soy de sombra / porque me pierdo. / Me colman los domingos / o un solo
verso. / Apenas soy de polvo / porque me esperan / al concluir
el viaje / unas cuartas de tierra»), aunque su dirección en cuanto
a la poesía prosaica, a pesar de no estar conseguida en general, no
por ello deja de ser interesante.

LE RIVEREND, Pablo, *La alegría sin quehacer* (Ohío, 1971),
20 ps.

La continuidad en la creación es elemento esencial que
debe tenerse en cuenta al hablar de la producción poética
dentro de un mundo tan cuajado de poetas como el hispánico.
Le Riverend ofrece una producción continuada en el exilio
y es de admirar su trabajo poético en estos diez años. La
última prueba de su constancia, y quizá la más lograda en
conjunto, es la que nos deja en este poemario.

Efectivamente, poetas nunca faltan, cuentistas no escasean, dramaturgos en tres actos aparecen mucho menos, y novelistas (posiblemente porque la novela requiere de entrada mayor cantidad de palabras, unas detrás de las otras) ya son pocos los que tal se llamen. Es por eso que el poeta necesita de una labor continuada, de un quehacer permanente, unido a un mínimo de estética. Le Riverend realiza una obra poética que indica un interés responsable y progresivo en su propia labor.

Además, *La alegría sin quehacer* nos parece en conjunto el más depurado de los libros de Le Riverend. Los altibajos se reducen y el libro manifiesta una mayor unidad y un nivel más homogéneo. Por otra parte, la conciencia de este trabajo poético de Le Riverend aparece dada en el primer poema, con muy efectivos versos: «Nací viejo, / a los cincuenta y cinco años, / cuando escapé por sendas prefabricadas / para vagar descalzo / e interrogar al sol. / Lo anterior fue un retrato, / antigua cartulina, veteada / por el rotar del tiempo, / carcomida / por días y semanas / y meses y años fofos. / Nací viejo / sobre ascuas del exilio, / viajero de un mar frenético: / sólo espuma en la cresta de una ola». Del nacimiento a la muerte, Le Riverend nos va dando al hombre: su solitaria compañía en su paso por la tierra («Siempre me acompaña / camina encorvado / manos a la espalda. / Su presencia muda / refleja una máxima / historia de angustia»); experiencia inmediata del desterrado («Yo —sólo yo— nada tengo / roto el eslabón de Cuba, / enclaustrado en el desierto»); su quehacer poético («El silencio organiza / sus racimos de versos. / Es hora de salir sobre ruedas de letras». «El poema se agita / oscuramente, y nace. / Centro de gravedad, / la poesía impera. / He quemado las naves / y no soy nada más / ni menos que poeta».); el viaje final («Puedo hablarle a la cuita: vengo / de un viaje sin caminos, / parto para un viaje problema»). Esperemos que Le Riverend siga dándonos su trayectoria cada vez más depurada.

LOPEZ MORALES, Humberto, *Poesía cubana contemporánea* (Las Américas Publishing Co., New York, 1967), 154 ps.

Esta antología une a los nombres de Mariano Brull, Emilio Ballagas, Nicolás Guillén, José Lezama Lima, Cintio Vitier, Eliseo Diego, Carilda Oliver Labra y Roberto Fernández Retamar, los de Eugenio Florit y Gastón Baquero, así como el de Orlando Rossardi, lo que lleva el libro más allá del marco de la insularidad geográfica cubana.

El antologista comenta: «No es otro el propósito de esta obra que presentar al público español una visión del quehacer poético contemporáneo en Cuba. La Antología está caracterizada principalmente por la presencia de los escritores más representativos. De ahí que casi ningún afán de novedad haya podido subsistir sin traicionar la verdadera intención de estas páginas...» «El ejercicio poético en Cuba —como todo— ha dejado de existir bajo la opresión comunista. La expresión pura y sentida no encuentra cabida en la *maquinaria* gubernamental. Queda, sí, una poesía comprometida, «altisonante, externa, vacía, social de mitin», que decía Juan Ramón. En silencio, Lezama —la gran promesa de nuestra poesía contemporánea—; en la sombra, Vitier; prostituidos, Guillén y Retamar; en el exilio, Baquero, el panorama lírico de la isla se ennegrece, se torna desértico, frustrado.»

Publicado en 1967, el libro se limita a recoger, entre las generaciones más jóvenes de cubanos exilados, la voz de Orlando Rossardi, y aunque una publicación más reciente posiblemente le hubiera permitido a López Morales incluir nombres que se han ido dando a conocer más activamente después, la selección de Rossardi es justa y es índice de las perspectivas latentes en la poesía cubana actual.

LUIS, Carlos M., *Espacio deseado* (Estados Unidos, 1967), sin paginar.

> Con un impresionante dibujo de Estopiñán y una introducción del autor en la cual expone su actitud poética, nos lleva Carlos M. Luis hacia esta colección de poemas donde lo religioso y lo poético forman unidad. Nos dice Carlos M. Luis: «Toda conciencia religiosa lleva en sus adentros una crisis de palabra... Con la palabra nos lanzamos a la búsqueda de Dios y en ella encontramos Su presencia, siempre abierta como un espacio deseante de ser conquistado.» El punto focal de la poesía de Carlos M. Luis es Dios y los poemas están impregnados de una actitud religiosa en la cual el poeta no sigue el camino de acusar a Dios, como si Dios le diera la espalda al hombre. Esta vez no se trata de la ausencia de Dios, sino de su búsqueda y su posible encuentro, por lo que el poeta sigue una trayectoria mística. No hay agonía al estilo de la duda de Unamuno, sino felicidad final en el encuentro con lo divino.

La poesía con intención filosófica y religiosa marcada puede ser ahogada por su propio contenido. El lenguaje puede resentirse.

Claro que Carlos M. Luis no ve las cosas de ese modo, ya que él
une ambos elementos, lo religioso y lo poético, y considera que
todo tiende a complementarse, formando parte de una unidad.
«Pero la expresión de un hombre religioso ha de forzar el lenguaje
hasta la poesía... Más allá de un mero ejercicio poético del lenguaje, se trata de una ejercitación del espíritu a través de esta» (búsqueda) «para encontrar su puente de diálogo con Dios». Por supuesto, que una cosa puede ocurrir en la teoría y otra en la práctica,
y que no siempre la certera definición de un escritor del elemento
con el que crea, quiere decir que ha sabido manejarlo con éxito.
Muchas veces ocurre precisamente lo contrario. Especialmente entre
los poetas, que siempre tienen la tendencia a definir lo que es la
poesía y expresar su credo poéticamente a través del género que
cultivan.

A pesar de nuestra negativa actitud en teoría, nos sentimos de
modo bastante diferente cuando nos enfrentamos a esta poesía con
sentido último de Carlos M. Luis. La tarea es dura, el camino impuesto es difícil, personalmente no es el que preferimos, y, sin embargo, creemos que el recorrido del autor es un buen recorrido
poético, casi siempre una certera comunión entre el lenguaje y la
fe. Logró la comunicación, no sólo la personal con Dios, sino la de
Dios y el lenguaje poético.

El muro no es de Dios, sino del hombre. Esto lo dice el autor
en muy buenos versos, en buenos poemas de principio a fin, como
uno que empieza: «Con esta mano de hombre, Dios, nos has sacado
del mar que todos antes habíamos sido», y que en su centro se
detiene en el descenso del hombre: «Y pareces olvidar que nosotros
no somos Tú y que las aguas están hartas de nuestro peso / Porque
hemos llegado cargados de una vida que tiende hacia abajo...» La
imperfección del hombre surge de su crecimiento en disonancia, a
la que opone el autor la perfección de Dios en su silencio. «Desde
entonces el hombre crece en disonancia» encuentra su solución en
«¡Oh Dios, entre nosotros, instaura Tu silencio!» La constante
dualidad de la imperfección humana y la perfección divina está
dada muy efectivamente, con dignidad rítmica y cuidadosa elaboración de imágenes. La aventura poética es un recorrido hacia Dios.
Los poemas se detienen en dificultades del recorrido: «No estamos,
pues, en la totalidad del blanco». El ritmo poético parece acele-
rarse hacia el final, con el correspondiente rechazo de las cosas que
nos alejan del camino hacia Dios: «¿Por qué el laberinto poético
si las cosas eran buenas y nombrarlas era lo bueno? / ¡Oh Dios,

demasiados dioses nos acompañan!» Y hacia el espacio del amor y el encuentro en Dios, que es el «happy-ending» de toda mística, marcha el poeta : «Ahora, Dios, estamos vencidos, por Ti ganados. / La aventura ha cesado: el ave está ahí / Su vuelo es la savia de lo viviente / La raíz de toda palabra que pronunciamos para Ti». Si para uno no elegido convencen poéticamente la mayor parte de las imágenes de esta búsqueda, ello parece indicar que Carlos M. Luis tiene una sólida presencia poética.

MACIQUES, Benito, *Ansias* (New Jersey, 1967), 64 ps.

Los títulos de los poemas indican las direcciones típicas de estos versos; lo sentimental y erótico: «Celos», «Amor oculto», «Desdeña»; lo religioso: «La fe», «Historia bíblica»; lo patriótico: «Canto patriótico», «Himno a Cuba», «A los bautistas presos en Cuba». Estas direcciones son comunes en la poesía menor y popular cultivada en el exilio.

MARIO, José, *No hablemos de la desesperación* (El Puente, Madrid, 1970), 40 ps.

Con portada de Roberto Fandiño, nos da a conocer José Mario una serie de poemas que al mismo tiempo que presentan la agonía espiritual del poeta, nos trasladan al mundo no menos turbio de Cuba contemporánea. Los poemas tienen indirectamente una implicación social. Aunque José Mario no lo dice de modo directo, el individuo parece encontrarse acosado por la sociedad en que ha crecido y en la que ha vivido hasta fecha reciente. Sólo al final resulta específico: «Llegaste en una época donde un mundo empezaba a consumirse/ y habían cosas esperando junto al fuego:/ La palabra revolución ardía.» Sin embargo, en todo momento, se trasluce el conflicto entre el individuo y la sociedad que no lo deja vivir en paz.

Los poemas de José Mario son oscuros poemas de insatisfacción individual y colectiva. La insatisfacción colectiva surge del fondo que sirve de marco al sufrimiento individual: la ciudad, un medio que parece rechazar al poeta. Se trata de otra colección de poemas donde la forma en realidad ocupa un lugar secundario, a pesar de la oscuridad de algunas imágenes. Lo que uno presiente a cada paso es el latido humano. En contra de ese latido está la experiencia.

José Mario escribe una poesía donde la imagen poética ocupa un lugar de menor importancia. A veces recurre al diálogo, a las anécdotas, a descripciones que acercan el poema a la prosa narrativa. «Un sueño» resulta en realidad un cuento corto surrealista donde el protagonista se encuentra acosado por imágenes oníricas. La anécdota se impone sobre la poesía. Los lugares surgen y lo que queda en nosotros es una experiencia más narrativa que poética. Esto, por supuesto, no tiene la menor importancia, en especial en los momentos más certeros. Estos son, para nosotros, aquéllos que nos trasladan a la ciudad, a las cosas, y enfrentan esas cosas al poeta, como si el uno y el otro fueran enemigos. «Ya no hay victrolas, ni canciones, ni discos de Vicentico Valdés, / ni mesas de madera, ni taburetes, ni botellas de ron, ni Coca Cola, / ni intervalos, ni el viejo camarero que entra cansado y se equivoca y nos pregunta: ¿Algo más? ni yo que grito: ¡Quédate quédate, quédate conmigo! / ni un vaso que se rompe. No más nada; tráigame la cuenta». En todo momento, la ciudad, la de ayer y la de hoy, parece volverse enemiga del escritor que quiere hacer su vida y no puede. Siempre resulta paradójico que una poesía de tanto contenido individual termine siendo el más claro reflejo de una opresión colectiva. En los recuerdos de la infancia que persiguen a José Mario, ocurre lo mismo: «Cuando nací el acecho era innegable». Perseguido, atormentado por su ser, atormentado por la sociedad anterior a la revolución y postrevolucionaria, los poemas de José Mario resultan un efectivo testimonio.

Desde el punto de vista del análisis estrictamente poético, los poemas no están cuidadosamente elaborados, y hay momentos en que el poeta se pierde en un vacío verbal donde no llegamos a apresar ni la poesía ni la experiencia, pero el saldo poético es casi siempre positivo y el latido humano es casi siempre vibrante, reconociéndose un buen poeta (o escritr, no sabemos) en las fronteras de un intenso exilio. «Angel» constituye uno de los más efectivos ejemplos de la calidad poética de José Mario: sencillez, detalles que nos asaltan, cosas, anécdotas, los enemigos colectivos, los oscuros laberintos. Claridades y sombras dan a veces la tónica de los momentos más felices de José Mario.

MATOS, Rev. Rafael, *Manantial de mis anhelos* (New York, 1966), 216 ps.

Extenso poemario. El poeta contempla todos los temas de su colección poética desde un ángulo religioso y cristiano. La naturaleza es vista a través del prisma de Dios. El libro aparece subdividido en varias partes. De una mirada general al mundo, pasa a otros poemas relacionados con su vida y motivos familiares: infancia, esposa, madre, etc. También dedica poemas a Cuba, terminando el conjunto con poemas bíblicos y plegarias religiosas. Las imágenes son claras y no hay preocupaciones innovatorias de índole formal.

MIRANDA, Bertha, *Rosal de amor y recuerdo* (Miami, 1962), 56 ps.

Reúne la autora en este libro una serie de poemas de índole amorosa, así como unas páginas de prosa poética. No hay un particular cuidado formal, sino el anhelo personal de expresar sentimientos y emociones. Poesía de limitado alcance, representa la imperiosa necesidad que tiene la autora de expresarse amorosamente a través de sus versos.

MONTANER, Carlos Alberto, *Los combatientes* (Editorial San Juan, Puerto Rico, 1969), 52 ps.

Libro de poemas dedicado a una serie de jóvenes fusilados en Cuba con posterioridad al año 1959. En el prólogo del libro, que Montaner llama «Antipoética», el autor declara la independencia del acto poético: es un acto fisiológico que se realiza a solas. Las ilustraciones del libro pertenecen a las series «Los mártires» y «Los combatientes» del pintor Rolando López Dirube, que el propio Montaner parece resumir cuando nos dice: «Un gran cuadro acaso no sea más que un poema plástico». Los poemas y las ilustraciones guardan una estrecha y efectiva relación.

El primer poema, «La muerte joven», une un variado conjunto humano en unos pocos versos: «usted Mao, usted Johnson, usted

Nixon, / usted Ho, Lenin, Trosky o Isabel II, / usted Breznev, Castro o Henry Ford...»; el poeta, curado de espanto a causa de su experiencia vital, y de regreso de todos los opresores, no se queda con ninguno de ellos.

Independencia del escritor cubano en el exilio, que tiene en última instancia la salida final en la muerte, al parecer la única compañía posible. Los dos últimos versos de la colección definen la actitud: «Tengo en los labios sensaciones negras. /. (¿Habré muerto yo acaso sin saberlo?)». En medio de la desolación del poeta exilado, el acto fisiológico de la creación, el acto solitario, se encuentra perennemente acompañado del otro acto, negación de todos los actos fisiológicos: la muerte.

En *Los combatientes* podríamos distinguir dos grupos de poemas. De un lado aquellos dedicados a jóvenes fusilados por el castrismo. Bella y fuertemente escritos, ya sabemos que la poesía comprometida en el exilio no puede escapar a la acusación directa, como ocurre con toda poesía de este tipo. Nuestra objeción es que en la poesía de este tipo el enemigo puede limitarse a cambiar el nombre de los mártires y los verdugos, siempre y cuando mantenga la adjetivación. De todos modos, algunos recursos utilizados por Montaner resultan de extraordinaria efectividad, como ciertos martilleantes versos: «de esperas amargas, / de golpes, / de hambre, / de silencio, / de oraciones sin respuestas, / de noches interminables, / de canteras, / de sol implacable»; así como: «Le quitarán la vida. / Le quitarán la risa. / Le quitarán todo y nada». En estos poemas vemos a la víctima en su trayectoria hacia la muerte.

Otros poemas se refieren más bien a estados vitales. Se deshacen de la víctima específica y se vuelven esencia de un estado trágico. La imagen se hace más elaborada, sin resultar oscura, y son, en general, nuestros preferidos. Entre ellos, «Credo del guerrillero», que aunque dedicado a un estudiante fusilado, se diferencia de los otros al llevarnos a un estado de conciencia. Montaner tiene aquí uno de sus mejores momentos. «Llevo la muerte en andas. / Mi ropa me sirve de mortaja / y cavo mi fosa inexorable / a punta de heroísmo.» En algunos de estos poemas utiliza reiteraciones verbales de martilleante fuerza, como en «Exilio»: «Tambaléate, / cáete, / enmudécete, / cállate, / incorpórate, / entristécete, / ¡muérete!». En estos poemas la muerte no es vista desde fuera, sino que se vuelve estado mismo del poeta que sufre.

MONTES RUIDOBRO, Matías, *La vaca de los ojos largos* (Mele, Honolulú, 1967), sin paginar.

> Victoriano Crémer comenta sobre este libro: «Poesía la de Matías Montes tan de nuestra hora que ella trasciende no hechos, no episodios, sino, lo que es más importante, formas de ser. Las fórmulas tradicionales de expresión y de forma han sido superadas por la acción directa del hombre ante su mundo, ante sí mismo. El contacto con esta poesía simple, directa, honda y valerosa, nos impone una revisión radical de muchas de las apariencias que todavía libran batalla en nuestro campo».

En la sección «Libros sobre América», de la revista *Círculo*, Carlos M. Raggi escribe: «La generación del 60 se aisla para mejor cultivar sus personales inspiraciones. Endogamia creativa de bulbo que absorbe mejor las sustancias terrestres mientras más hondamente se le encierre, para luego, al florecer, dejar que con su vista se recreen los que sólo inmediatamente le dieron vida. De este modo enjuicié genéricamente todo un grupo de poetas y cuentistas cubanos que, alrededor de la pasada década comenzaron a producir con una cierta fiereza creativa que está cuajando en obra. Montes Huidobro pertenece a esa generación, y en líneas generales los poemas que recoge Mele confirman su filiación generacional.

Creadores de su propia visión, de su propio mundo circundante, la naturaleza en vista hacia lo interior, con ojos perdidos 'ante la dimensión inmensa / de los siglos' —una naturaleza que no concita recuerdos sentimentales, y aparece sólo como forma geométrica desprovista de significado sensorio. Así, en el poema a 'Islas hawaianas' y, referencias esparcidas, en otros muchos caminos geográficos que el poeta menciona en su marcha por sendas abstractas regidas por la 'indiferencia de la naturaleza'. Y es que las cosas —sean estas 'sonidos', 'tiempo', 'olas' o 'letras'— se esfuman entre los dedos de una generación que fuera hondamente herida por una realidad que ellos pretendieron 'rectificar' y que a diario les abofetea el rostro con sus humanas miserias desenterradas de un cieno que quisieron convertir en oro con su mensaje de fraternidad universal: 'Caminamos así, juntos y solos, / por los desolados páramos / de nuestra existencia, / nos encontramos en el tiempo / viejos amigos, / nos miramos, / nos volvemos a ver...'. Son poemas de soledad, de amarga desilusión, que recuerdan, en la insalvable distancia, a Julián del Casal: '¿Qué me importa vivir en tierra extraña / o en la patria infeliz en que he nacido, / si en cualquier lugar he de encontrarme solo?'. El poeta, cansado de una existencia de horas tempranas, siente que: 'somos sombras / que jugamos en la eternidad'; pero no nos equivoquemos al valorar estos momentos de cansancio como estados permanentes, pues Montes Huidobro es joven y hay algo de retorno al romanticismo en estos esjeismos de desilusión. Quizás lo encontremos más sincero, más ingenuamente joven en 'Un poema de voces para Ana', con recuerdos de 'las voces del hogar' y un hálito de esperanza cuando 'Abre las puertas / y encontrarás detrás de ellas / la sombra de un misterio'. Un misterio que será la vida misma, cuando las horas de desolación hayan pasado y la patria lo reciba de nuevo —una patria libre y feliz: sin sumisiones ni milicianas intoxicadas de plomo—; una patria en la que Montes Huidobro podrá cantar su vuelta a la naturaleza, al amor, a la fraternidad.

Montes Huidobro rechaza las imágenes y su poesía se desliza natural, descifrable, verbal. Sigue la corriente post-modernista que proclama lo innecesario del adjetivo postizo, y sólo acude a él para determinar los sustantivos que así lo requieran. Para nuestro gusto, educado en una época de pulcritud de lenguaje, discordan en su vocabulario algunos vocablos asqueantes o con aspereza de sexo desprovisto de espíritu: ¿influencias del tremendismo en la poesía? Acaso, o, más bien, rechazo de una poesía amorosa que llegó a cansar por exceso de edulcorantes.» C. M. Raggi, Russell Sage College.

NUÑEZ, Ana Rosa, *Las siete lunas de enero* (Cuadernos del Hombre Libre, Miami, 1967). 40 ps.

De los poemas de esta colección, «Réquiem para una isla» reaparece en una cuidada edición ilustrada por Rafael de Araoza en 1970. Del mismo modo, Ana Rosa Núñez ha publicado aisladamente otros poemas que deseamos anotar. «Bando» aparece en 1969 ilustrado por un magnífico pintor cubano, Armando Córdova. El poema es una expresión del dolor del pasado moviéndose hacia el futuro. Cuba, estilizada en éste como en «Loores a la palma real», también finamente ilustrado por Araoza (serie de imágenes en homenaje a la palma real cubana: «profesión de estrella»), constituye latente preocupación poética de Ana Rosa Núñez. Su mejor expresión la encontramos en el libro que ahora comentamos.

En este libro Ana Rosa Núñez nos traslada a su mundo bíblico, apocalíptico, pero que particularmente nos gusta porque aparece ceñido a una circunstancia, a una historia, a una geografía, a un espacio, a una hora. La estilización poética no se crea para eludir el compromiso, sino para reafirmarlo poéticamente. Su mejor expresión posiblemente sea «Réquiem para una isla». El poema aparece perfectamente localizado a consecuencia de algunos datos: «Yo sé de un viejo careo tras la escondida Fuente de la India». Toques como éstos son muy efectivos dentro de la poesía de Ana Rosa Núñez. Pero al mismo tiempo amplía el marco alejándose de fronteras que limiten: «Sé de un sueño fino, ingenuo, dulce, transparente y gigante / siempre ceñido al reloj de la tristeza». Pero vuelve siempre a la isla, su geografía y su historia: «Yo sé que te llamaron fiel, cuando la primera esclavitud; / y que echaron en tu escudo una llave de agua / para salvaguardar la luz del Golfo». Estas imágenes son de una lograda estilización geográfico-histórica de lo cubano y de los mejores versos relativos a Cuba escritos dentro y fuera del territorio insular. Además, los versos están perfectamente situados dentro del contexto total del poema. Tienen carácter funcional. Ana Rosa Núñez sabe darle amplitud al contenido del verso y poco después escuchamos: «Y decimos hoy, porque la llave ha abierto su puerta a la sombra: / este tiempo que bifurca nuestra sangre; este pórtico de censos y galileos en marcha; / de sillas y valijas venideras a otros cantos, / es —y oídnos bien— el atrio del huésped de la muerte, / y el doble que practica la campana». Cada verso tiene un significativo latido funeral, de imágenes bien elaboradas, ceñidas a la intención histórica de la autora. El poema va adquiriendo tonalidades más vibrantes hacia la última parte. Parece un cántico ritual. «Arrodillados, desnudos minotauros antillanos, / arrodillados al peso de nuestras escamas; / hijos legendarios de un reptil anochecido». Se trata de una poesía que sin dejar de serlo expresa a plenitud el compromiso político del exilado cubano, integrándola plenamente al dolor («Dime, Isla donde la sombra es moneda de la muerte, / ¿qué aguas te han hecho tu nueva estatura de escorpión; / o qué mares prefieren tu luz que se oxida,»), pero sacándola de las fronteras locales, dándole sabor bíblico, mitológico, la verdadera altura de la tragedia nacional.

Otros poemas están a similar nivel, a veces con una determinada ubicación, otras sin ella. El que le sigue en nuestra preferencia es «Los nuevos minotauros», reafirmación de los valores poéticos de Ana Rosa Núñez. Lo que menos nos agrada de la poesía de Ana Rosa Núñez es la pugna que a veces se observa entre la densidad y el árido hermetismo de algunos versos («Las columnas fitomorfas vencidas hacen el pentagrama de los Sirios») y la belleza estilizada de otros, como si la primera dirección tendiese a la asfixia de la segunda. Nos parece que una depuración en este sentido acercaría su poesía a la perfección de línea clásica que es en el fondo su más legítima añoranza.

NUÑEZ, Ana Rosa, *Viaje al casabe* (Ediciones Universal, Miami, 1970), 40 ps.

> Esta colección de poemas, con una delicada portada de Mijares, se inicia con un poema introductorio de Alberto Baeza Flores y se cierra con un vocabulario de términos utilizados por los indios cubanos. Ambos elementos crean la atmósfera necesaria para ayudar al lector en su recorrido por la poesía de Ana Rosa Núñez, que es una vuelta hacia el casabe, el pan de los indios cubanos. Los versos iniciales de Baeza Flores tienen el mismo tono poético que predomina en la autora del libro, y explican claramente el recorrido: «La palmera es la luz de la nostalgia, / el casabe es el ojo de la tierra. / De palma y de casabe se hace la poesía: / de nostalgia y de tiempo, / de ilusión y de espera». Se trata de un recorrido nostálgico hacia el pasado cubano.

Con una intención que es en cierta medida romántica, vuelta espiritual hacia la naturaleza primitiva, se dirige Ana Rosa Núñez hacia el pasado cubano, siboney y taino. Es una vuelta más bien hacia el momento en que estábamos en estado puro, de inocencia y de libertad perdidas, ya que ninguno de los otros estados intermedios que le siguieron, y mucho menos los finales, le hubieran dado a la autora de estos versos los elementos necesarios para un legítimo regreso. Es un viaje a la infancia, al momento supremo de la felicidad isleña, el único instante de felicidad posible. La selección histórica nos parece todo un acierto. La poetisa está consciente del hecho histórico. «Poco pesaron en nuestra Historia. / Menos que un pecado histórico, menos que el polvo.» Ese momento de felicidad histórica aparece idealizado en *Viaje al casabe*, pero encerrando al mismo tiempo el punto final del recorrido: «El hombre nacía difunto / enredado en las raíces del agua, / entre bohíos y caneyes / huésped alegre y manso de su propia tumba». Después de ese mundo de indio y de casabe, el dolor: «La Paz sea con Ustedes, que ven lo que nosotros vemos... / y que luto se hizo al mundo / en su poesía cotidiana». En esta interpretación de lo cubano hay un sentido poético, histórico y trascendente. El casabe tiene una implicación religiosa. Lo llama «dulzura de alimento bíblico». Nos dice: «—Cazabe nuestro: / Comulga con el río y su sed de manatíes».

En el presente histórico se mira hacia ese pasado con un sentimiento nostálgico. El poeta en el exilio parece decirnos que hemos sido extinguidos en medida similar a como lo fueron en su tiempo los primitivos habitantes de Cuba. En el retorno al silencio se busca un renacer, aunque en ello hay también latido de muerte. «Ahora, que inicio el viaje hacia el casabe, / suena a triunfo todo lo que duerme». La esperanza es algo remoto. La realidad histórica la convierte en gimiente latido. «Eres desde esta nueva siembra de agua / un verde cañaveral que se alza.» «Eres la verdad de la vida que comienza / donde la memoria es prueba que tiembla.» La comunión con el mundo de los aborígenes cubanos deja un sabor triste en nuestro paladar. El regreso a esa paz es muerte. «Despiertos en la esperanza / seguimos la prisa de los muertos.» Se trata de una nostalgia mortal donde ni la presencia de Dios en el casabe será vehículo de esperanza.

El libro de Ana Rosa Núñez tiene muy bellas imágenes y está animado de una certera intención; sin embargo, a veces chocamos con un hermetismo gratuito que nos parece innecesario gracias a la cálida humanidad cubana que es lo predominante. Entre los versos previamente citados y otros de oscuro y frío significado («Dos alacranes de cristal / se hacen el amor en el rincón de un tintero»), nos quedamos con los primeros, en los cuales la calidad humana y poética se integra con emoción a lo más humilde del pasado nacional cubano.

NUÑEZ, Ana Rosa, *Poesía en éxodo* (Ediciones Universal, Miami, 1970), 400 ps.

> Antología de la poesía cubana en el exilio, reúne poemas publicados entre 1959 y 1969. Incluye selección de poemas tomados de diferentes libros publicados en el período mencionado, poesía en la radio, en revistas, en la clandestinidad, una relación de revistas literarias publicadas en el destierro y una lista de algunos poemas publicados en revistas. Tiene un índice de autores, pero le falta un índice general que facilitaría el uso del libro. Los poemas aparecen agrupados cronológicamente.

Este libro resulta fundamental para el conocimiento de la actividad poética de los cubanos en el éxodo. La obra comprende una extensa variedad de autores, y Ana Rosa Núñez procede con un criterio humano y patriótico que va por encima de lo meramente esteticista. Esto puede dar lugar a crítica adversa, pero creemos que el criterio es válido en una obra de esta índole, de carácter amplio y con el propósito de divulgar múltiples y variadas facetas de la actividad poética de los exilados. La posición patriótica comprometida ocupa un amplio espacio en el libro.

La compiladora nos explica los motivos que la impulsaron a realizar este trabajo. Nos dice en el prólogo: «Movida por el temor a que tanto material humano se pierda en el horizonte de ediciones limitadas en su mayoría, he creído y he sido entusiasmada en este propósito por un número de archiveros del dolor, a recoger la producción poética del exilio cubano, atendiendo solamente a una calidad: la calidad del dolor por ausencia, por incomprensión, por falta de raíz telúrica, porque para nosotros es tan importante y tan patria la espuma de nuestras olas como el penacho de nuestras palmas...». «Muchos girones de vida hay en estos poemas que me honro en ponerlos en un tomo pequeño, en que todos rendimos homenaje al silencio que siempre acompaña al dolor. Recoger sus voces ha sido como la tarea de la hormiga. El otoño dirá si era necesario el alimento. Por sobre todos los estilos, las comas, los puntos, las metáforas, los verbos, los adjetivos, démonos las manos en horas de naufragio y salvemos el dolor, la nostalgia, la melancolía, que son elementos en la dignidad del hombre que lo hacen Viajero en la Tierra.»

Esto no excluye que dentro de ese viaje humano tratara Ana Rosa Núñez de apresar lo mejor y más representativo de cada libro, tarea difícil a veces, dada la pasión extraliteraria que impulsa a muchos de los libros publicados en el exilio. De todos modos, esta es característica que no debe paserse por alto y ante la cual tenemos que enfrentarnos.

ORTIZ-BELLO, Ignacio A., *Beso del sol...* (España, 1966), 68 ps.

Temas tradicionales del espíritu romántico cubano («patria», «madre», «amor») resultan los dominantes en esta colección de poemas. Las poesías llaman la atención por su ingenuidad, su espontaneidad, su carácter franco y abierto. Franco y abierto es el carácter «típico» (o típico) cubano, y por el poeta mismo y no por su poesía es que *Beso de sol...* puede leerse con cierto nostálgico interés.

ORTIZ-BELLO, Ignacio A., *Martha, letanías de amor* (Miami, 1969), 30 ps.

Curioso poemario en el cual el autor toma el nombre de la persona a quien parece dedicado el libro y construye una serie de letanías amorosas con cada una de las letras del nombre. Así, de la «médula del amor» de la letra «m» que lo inicia, llegamos al «árbol cuya sombra ansío», que corresponde a la última vocal. Poesía, por supuesto, extremadamente limitada.

ORTIZ-BELLO, Ignacio A., *Carta invernal* (Ediciones Universal, Miami, 1969), 56 ps.

Sin perder las características de sus poemarios anteriores, éste resulta, sin duda, de superior calidad. El autor se aventura con mayores elaboraciones poéticas y agrega algunas dolorosas experiencias del exilio, como ocurre en su poema «Oración»: «sobre el altar divino / de mi trabajo / —soy el cordero— / cuyas manos rezan / lavando platos».

PADILLA, Martha, *La alborada del tigre* (Miami, 1970), 52 ps.

Con una dedicatoria en que nos dice: «A Heberto Padilla, poeta de mi sangre», nos lleva la poetisa a unos poemas en los cuales descubrimos latentes el compromiso ideológico, la añoranza de Cuba, la presencia de lo cotidiano y, sobre todo, la personalidad apasionada de la propia poetisa.

Martha Padilla es una de esas poetisas en la cual lo más importante es el yo femenino de la poetisa misma. Ella es el foco principal, y algunos de los poemas más conseguidos corresponden a ese mundo que se llama Martha Padilla. Tal es el caso de «autoinscripción», «para un pie de grabado» y «exposición sepia». Estos son poemas muy conseguidos que conjugan muy bien el egocentrismo y la poesía: «No soy Martha Padilla / No me llamo palabra / No me conoce el hombre de la Kodak»; «Me llamo sola / Me llamo alpina / Inventada en una siesta de julio»; «A mí no me señalen con un símbolo»; «Porque el misterio soy de lo que busco»; «Como un trompo he bailado para mí todo el tiempo / Y en las ruinas he sido, la que borra las fechas». No siempre las imágenes son igualmente logradas, y hay momentos en que el yo llega a cansar dentro de las palabras. Pero justo es decir que no es ella la única que peca de tales faltas. Además, su calidad poética queda demostrada en muchos poemas y se trata de un simple asunto de depuración. La poetisa está ahí, no hay duda, y eso es lo importante.

Por otra parte, hay buenos poemas en que va saliendo de sí misma y ofrecen magníficos resultados. Algunos de ellos, como «caligrafía del llanto», impregnado de intención política muy bien conseguida, dada de modo indirecto y mediante el enigma poético, se nos presentan como un muy efectivo impacto: «Mi hermano menor / Vive entre las cumbres sonoras / De Gone with the wind» «Mi hermano menor y yo vivimos / Libremente / En el libre país de la abundancia» «Mi hermano mayor, que es grave, dulce, franco / Y que tiene tan extraordinaria voz de látigo / Y que tiene tan extraordinaria voz de látigo / Está sentado en estos momentos sobre sus manos / En estos momentos / Ha olvidado nuestra vieja balada». Buen poema, comprometido, porque surge de la experiencia íntima y porque sin falsedades grandilocuentes se dirige al dolor y lo expresa dentro del ámbito poético.

Pero no todo es una mirada hacia atrás, sino que en la joven poetisa en el exilio hay una mirada hacia el presente inmediato; «cielo u. s. a.», por ejemplo. La reacción es la esperada: «Este momento es mísero». «Estoy arrepentida de ser mansa». «Que me cuelguen siquiera de algún árbol». Pero la poetisa siempre vuelve hacia ella misma, el enigma fundamental: «Nadie que me conozca me conoce / Aquel que no me sabe es quien me sabe». Estando en su alborada, la poesía de Martha Padilla irá seguramente hacia sólidas realizaciones.

PADRON, Roberto, *Humo y palabra* (Plaza Mayor, Madrid, 1971).

Carlos Alberto Montaner nos dice en el prólogo que en Roberto Padrón «hay calor humano. Que hay un hombre sin afeites ni disfraces enroscado a cada sílaba, abrazado a cada estrofa, tirado a lo largo del poemario con toda la honradez y la sinceridad que debe esperarse de un joven poeta en su primer libro».

La escueta sinceridad de Padrón se impone sobre las notas, a veces ingenuas, algo pobres poéticamente, de algunos de sus versos: «Como un niño, / quisiera ser siempre como un niño. / Alma de niño, / pureza de niño...» De todos modos preferimos esto a los falsos ropajes de la versificación. Esto no excluye que Padrón, dentro de un marco donde la sinceridad poética es lo dominante, muestre interés por juegos rítmicos y formales, manteniéndolos con acierto. Un buen ejemplo del sentido rítmico y un buen ajuste del juego formal dentro de un tema, lo encontramos cuando nos dice: «Tan sólo, Señor, / todo tan solo. / En medio de tanto, / en medio de todo / y tan solo. / Entre tantos ruidos / tantos sordos. / Entre tanto mucho, / tan poco. / Tan solo, Señor, / todo tan solo. / En medio de tanto, / en medio de todo, / todos solos.» Sinceridad y sentido rítmico se imponen tanto en la nota erótica como en la socialmente comprometida. De un lado «¿Qué / puedo yo / enseñarte a ti? / Nada. / Tan sólo sugerirte.» / «Tu bosque, / mi playa. / Tenemos en común / la necesidad / de agua»; de otro: «Tocarás la vieja partitura, / la vieja sinfonía que parirá el desastre.» / «(Me limitaré / a hacer de verdugo, / sin voz ni voto / —con un hacha— / tajante y duro).» Ritmo erótico y social, por cierto, que constituye la nota de básica cubanía de la poesía de Padrón.

PORTELA, Iván, *Dentelladas de un ególatra* (Méjico, 1967), 274 ps.

> Con el subtítulo de «Poemas temperamentales», este libro es una de las colecciones poéticas más extensas publicadas por un joven escritor cubano en el exilio. El libro está dividido en varias partes, pero existe un denominador común apasionado que une en una dentellada poética estos poemas ególatras y temperamentales.

Por consiguiente, no se trata de una poesía elaborada, sino de una poesía violenta, dada a conocer por medio de estas dentelladas que acercan el libro a la pasión y lo alejan de la perfección. Sin embargo, Iván Portela parece tener una naturaleza poética tan fuerte que ésta acaba imponiéndose por encima de su afán de no pulir un verso, cosa que sería posiblemente herejía.

Pero lo que más nos gusta del libro es su absoluta independencia, ese chocar violentamente contra todo, ese no querer claudicar ante nada, que no es producto tan sólo de la juventud, sino del destierro. El poeta en el destierro se libera de las consignas, se hace el hombre menos apresado por las circunstancias. Su ausencia de raíces lo independiza y encuentra en su tragedia el verdadero significado de la libertad. O por lo menos, el significado más cercano. El destierro, a la larga, no es tragedia, sino gracia otorgada. Y no hablo aquí de las localizaciones geográficas y políticas: éstas siempre encarcelan.

De todos modos, la poesía de Portela se impone con energía. Es enérgica hasta en sus afirmaciones «decadentes»: estas afirmaciones son signo de su libertad. Portela golpea violentamente en todas direcciones y la poesía surge entre sus rudos golpes. Humilde y cristiano a veces, capaz de conmoverse intensamente ante las miserias humanas, se nos presenta en otros momentos eróticos y lúbrico, anhelante de un goce vuelto siempre hacia sí mismo. Es un poeta que, con una energía que indica una extraordinaria vitalidad, prefiere lanzarse a los lúgubres y mortecinos abismos de los poetas malditos.

Dentro de la pasión y el descuido poético, están los aciertos de un espíritu apocalíptico: «Me siento como el gran apocalíptico, / ya no tengo de enemigos / a la bestia ni a la cobra envilecida. / Soy el gran apocalíptico / con fachada de esqueleto medio muerto / y casi vivo». Independiente («Ni un espanto / de mil bombas atomólogas. / Ni una sigla / de doctrina conformista. / Ni la vida / de Moscú entre los marxistas»; o: «nada resuelve Carlos IV en una de las avenidas de México, / ni Carlos Marx en el cerebro de los universitarios, / ni la inauguración de orfanatorios, ni la pintura Revlon»), consciente del dolor colectivo («Jamás vi tanta madre sin harina / ni tanto niño hambriento»), desolado («Estoy solo en mi adiós, / con la poesía al cinto»), erótico («Mucho más puedo hacerte que exasperes / tu rocío sexual sobre mis ansias»), satírico («Y ustedes moscas negras, borrachas moscas juntas, / letrineras, calígulas, / que siguen tras el *Canto general del maestro*»), y de otras múltiples formas y matices, Iván Portela se desborda apasionado, todo un temperamento poético que podría ser un logro de primera línea si encontrara el punto preciso entre esa pasión que debe claudicar ante la depuración estética que pide toda poesía última.

PRATS, Delfín, *Lenguaje de mudos* (El Puente, Madrid, 1970), 25 ps.

Leemos en la contraportada: «Delfín Prats nació en 1946 en la provincia de Oriente, Cuba. Cursó estudios de literatura en la Universidad de Moscú. Obtuvo el premio David de poesía 1968, otorgado por la Unión de Escritores y Artistas. Prats muestra las contradicciones de la juventud cubana en estos años ante las imposiciones y el esquematismo político, pero no al estilo de las formas poéticas al uso, sino valiéndose de un lenguaje muy personal. Delfín Prats es uno de los talentos más representativos de la novísima poesía cubana. Este libro, a pesar de su premio, se ha conservado inédito».

El libro de entrada indica un exilio espiritual que debe tomarse en cuenta. Además, aparece publicado en el exilio (España, 70) y dentro de nuestro marco en el tiempo: su elaboración misma es un anticipo de partida. San Lucas lo abre con una cita inquietante relacionada con el título: «¿Qué pláticas son ésas / que tratáis entre vosotros andando / y estáis tristes?» Cualquiera que sea lo circunstancial del poeta, el libro pertenece al exilio. Por algo se nos dice: «Ha permanecido inédito.» En Cuba, sí; no en España. Pero, ¿podría ser de otro modo? Después de todo, el lenguaje de mudos no es el más apropiado dentro del lenguaje dogmático. El lenguaje de mudos es oración silenciosa, y la oración silenciosa es antidogmática, ya que se trata de la individualización de la relación hombre-Dios.

Dentro de pláticas más terrenas, nos parece que no todo el libro de Prats tiene la misma altura poética, pero que hay algunos poemas que lo elevan: «animal extraño», «saldo», «lenguaje de mudos», «palabras harto conocidas». A veces el libro decae, por lo prosaico o lo oscuro, pero siempre hay alguna imagen que nos sorprende. Los poemas señalados nos parecen los mejores del libro y los de más homogénea calidad. «Animal extraño» nos traslada hacia inquietudes interiores que son el reducto secreto del poeta. Los versos son buenos: «un animal extraño me visita, / sin anunciar su inesperado arribo»; la inquietud interna no es menos buena: «este animal conoce mis secretos ha visto / bajo mi piel segregaciones semejantes a su orina». Del diálogo mudo consigo mismo, pasamos en «saldo» a otro diálogo inquietante con los muertos. Se sospecha un desencanto ante un proceso histórico, dicho en un tono personal, cotidiano, íntimo. Se vive en un vacío («viejos amigos cómo lamento esta falta de todo que ofrecerles / mi ignorancia y un poco de impotencia / por las cosas que ocurren por ahí...») ante el cual la muerte es estado deseado («cómo les va sin nadie cómo les va en la nada / sin tener que pulirla para ligar un hueso / cuando ya no hace falta romper la noche / con un tremendo aullido»). Más subversivo tal vez en «lenguaje de mudos», nos encontramos con el miedo en el ámbito un tanto indefinido de la ciudad y del tiempo. Hay cabos sueltos ocasionados por el miedo, como quien quiere decir y no se atreve. El poema es un buen resultado a causa del miedo, y como diría «Azorín», más o menos, la censura ejerce su función artística, y lo que pierde el hombre lo gana la estética: «Atemorizados ante el espejo vacío / ante la posibilidad de que alguien nos sorprenda»; «apañadores a toda prueba de sus intenciones más subversivas / en la clandestinidad evidente de sus melenas», «parapetados tras el único lenguaje posible ahora:» «lenguaje de mudos que no les pertenece.» Finalmente, en el último poema indicado, dentro del marco del amor («pon el amor a compartir tu casa») integra lo político («si a cada paso te exigen credenciales»), para terminar el poema con un canto a la plenitud de ese amor, como si temiera que en el «lenguaje de mudos», que no llega a hacerse vida plena, el amor también pudiera escaparse: «Pero no pierdas el tiempo / porque el amor ya se ha vestido, / se alisa los cabellos...» / «sin avanzar hacia la puerta / sin abrirla / antes de que se cierre pesadamente a tus espaldas / y te sorprendas en la calle / a solas» Lenguaje erótico y no-erótico de un destierro en el silencio.

PRIDA, Dolores, *Treinta y un poemas* (Fancy Press Editor's Inc., New York, 1967), 80 ps.

> En su búsqueda del poema treinta y uno escribe Dolores Prida los treinta poemas que reúne en este libro. El poema treinta y uno es para la poetisa el poema perfecto que no ha escrito todavía y que la lleva a insistir en la creación literaria. El libro recoge poemas que van del año 1960 al 1967, indicando las fechas un progreso en la labor literaria de la autora. Los primeros cronológicamente, que son los últimos en el libro, indican una diferente actitud si los comparamos con los últimos. La intención poética de «Detén tu vuelo cristalina alondra. / No huyas de mis ojos fugitiva lágrima» es diferente a «¡Cerrajeros! ¡Cerrajeros! / Por favor, / venid y ayudadme. / Los poros se me han cerrado / y me he quedado afuera. / ¡Venid cerrajeros / que mi amor se llevó la llave!». Señala, además, que el camino hacia el poema treinta y uno no ha sido de retroceso.

En el caso de Dolores Prida nos parece que la claridad es una virtud poética dentro de su proceso poético que parece ser ascendente. Sus poemas tienen un ritmo bien logrado, con tonalidades eróticas y femeninas alcanzadas con acierto, como en el poema «Sobra espacio», despojado de imágenes innecesarias: sólo las imprescindibles para asegurarnos que estamos en el terreno poético. Tiene un fino sentido de equilibrio entre la imagen con cierta elaboración («Sobra espacio / en mi cama / y al sueño / le han crecido / las alas») y el simple toque cotidiano («Y en la monotonía / de un «good morning» / mil veces repetido, / me desvanezco.») El tono erótico, el ritmo, la imagen elaborada con moderación, el uso de elementos realistas o cotidianos, ofrecen los aciertos más significativos del libro. «Olor a brujas» es otro ejemplo: «Con las yemas de mi alma, / te acaricié la pasión desnuda. / Los gritos dentro de mí / me asustaron. / Era el abrir de cerrojos. / Era el levantar de rejas...» Lo más peligroso es el camino fácil de repeticiones y paralelismos con latidos becquerianos contra los que la poetisa debe estar alerta para así poderse acercar al poema treinta y uno que con tanto afán busca.

RIVERO, Isel, *Tundra* (Las Américas Publishing Co., New York, 1963), 92 ps.

Con ilustraciones de Zilia Sánchez y una muy bien cuidada edición, nos presenta Isel Rivero sus «poemas a dos voces». Las «dos voces» se van alternando tipográficamente a lo largo del libro, pero ambas forman parte de un mismo lamento.

Los poemas de Isel Rivero pertenecen a la corriente de la desolación. Lo sentimos así desde la primera página hasta la última. La nota no es la única en esta colección de libros publicados fuera de Cuba .Termina siendo característica marcada de muchos poetas que viven dentro de esta circunstancia histórica, aunque estén más o menos comprometidos con la misma. Después de todo, si a veces elegimos el compromiso, en cierta medida las circunstancias nos envuelven y nos vemos inevitablemente en el compromiso: escribir dentro o fuera de Cuba es ya compromiso .

De las dos voces, una es, en general, algo más desoladora que la otra. Al margen derecho del libro se extiende el lamento menos agónico (por lo menos en apariencia), que por momentos se acerca a la estricta información: «El maître sugirió asado de cordero», «Los excluidos se muerden las uñas», «Algún remoto día / las plantas no han de morir», «Llevo los ojos hacia la luz, / giro sobre mí misma, / giro en torno a los planetas, / giro en torno a todos los espacios, / viaje de un instante; / vuelvo al mismo lugar», «Fuimos condenados a reír de impaciencia / sobre un acantilado / mientras el ave desgarraba nuestras entrañas», «Tundra, donde el polvo no traspasa los ámbitos.» Esta poesía escueta, descriptiva a veces, va jugando con la otra, más agónica, de la otra margen de la ribera.

Esta obra es excelente en la expresión de la desolación. Es expresión del estado emotivo del desterrado en su más amplia concepción. «Sedentaria caravana de excluidos»; «los refugios terrestres / no tienen suficiente cabida para nuestras muertes.» La voz de la desolación no puede unirse a otras voces: es esto lo que la hace individualista en extremo y separada de los dogmas: «nuestro grito / no podía incorporarse a otros gritos, y persistían huérfanos, / determinantes, / débiles aullidos abismales / sobre la faz de los astros». En *Tundra* la poetisa se aísla de la historia, lo que es un modo de tomar partido: «No podíamos incorporarnos / entre masacre y masacre de historia / entre lucha y lucha de pueblos remotos, / hundidos, sumergidos.»

En algunos momentos un sentimiento bíblico inunda las páginas de *Tundra*: «Llamó a las puertas de la sinagoga, / sus sandalias y sus pies cubiertos de sal.» Pero la nota permanente es apocalíptica: «Y los insectos se unen en manadas, / espantados del fuego, / y la guerra sigue su curso, / como nada que se hace.» La solución viene a ser el caos absoluto, irremediable, definitivo. En la margen derecha, la de cariz objetivo, nos dice «Obstinación magnífica del hombre». En la izquierda, el lamento es mucho más agudo: «Las ropas se deshicieron pulverizadas; / el calor ascendió aún más terrible que un bosque en llamas, / aún más terrible que todas las voces repercutidas en coro por los árboles.» «No más retornos. / La partida será ahora definitiva. / No más poblaciones abiertas, / abatidas por idénticos males / de otras épocas.» Y así va *Tundra* hacia el final, que no es otro que el objetivo final del silencio, la desolación tan sólo: «Fue el silencio quien elevó su paz en la / devastación. / El silencio.»

Tundra es uno de los mejores libros de poesía de la Cuba peregrina. Tiene hondura y su forma se mantiene a idéntica altura, de muy buen nivel, desde la primera hasta la última página. Quizá su único defecto sea que el hombre contemporáneo está tan consciente del caos que la apocalipsis se va convirtiendo en lugar común. Pero *Tundra* inicia ese camino poético del exilio. A veces uno llega a preguntarse si uno podría torcerle el cuello a la desolación del mismo modo que hicieron con el cisne. Paradójicamente, la desolación es búho, no ave de engañoso plumaje: el engañoso plumaje está en la conciencia política de cierto tipo de poesía. Pan nuestro de cada día, sabemos que, aunque quisiéramos, no encontraríamos otro modo de amasar el trigo. Es por eso que *Tundra* tiene, principalmente, desolada solidez contemporánea.

RODRIGUEZ, Israel, *Poemas de Israel* (Imprenta de la Universidad Católica, Puerto Rico, 1968), 100 ps.

> Estos poemas de Israel Rodríguez tienen un sentido religioso a veces y en otros momentos un sentido erótico, o las dos cosas a la vez. Un estilo sereno, un tono de oración con cierta quietud y majestad, está presente en todo el libro. Las cosas minúsculas, los accidentes cotidianos, ocupan un preciso lugar en los poemas. El libro aparece muy ajustadamente ilustrado por el pintor José Luis Díaz de Villegas.

Desde los primeros poemas, Israel Rodríguez mantiene un tono preciso que nos agrada. Lo religioso se une a lo amoroso, formando una especie de oratorio. Las fronteras entre un mundo erótico y un mundo de quietud religiosa se integran admirablemente. «El caminante te tomó de la mano. / El caminante era el camino, / y lo anduvieron tus pies... / Tus manos en sus manos, / tu cabeza en su cabeza. / Mirándose en tus ojos te amó tanto / que su cuerpo creció hacia ti. / Te dió un beso de despedida / y quedándose se fue. / Dulce misterio continuado.» Hay un latido de religiosidad galaica que se entreteje en los misterios del amor, como si todo amor fuera un único misterio. Inseparables, el erotismo y la religiosidad marchan unidos en un ceremonial religioso. Hay un deseo de apresar lo cotidiano, lo pequeño, pero sin una precisa ubicación, como si también formara parte de un ritual. «La leche hervía en la cocina / y un olor a panadería en la madrugada.» Su cristianismo está inundado de erotismo también y hay algo de la moda actual relativa al culto amoroso, pero en lo más sincero, en lo más genuino. Lo contemporáneo y lo cubano se unen al panorama poético de Israel Rodríguez, estilizado por algún verso intemporal: «Tenía 'slacks' y blusa color naranja.»«Los azahares abanicaron el viento.» «Naranja dulce, limón partido.» La religiosidad erótica de Israel Rodríguez responde al espíritu hispánico, donde la mística es una extensión del amor, que es divino y humano a la vez, que toma a veces los caminos de los pucheros, en lo divino, y también en lo humano: no olvidemos que en el refranero popular el amor a veces entra a través del camino nada romántico de la cocina. Hilda, los amigos que se reúnen, la casa, todo aparece envuelto en el encanto religioso, divino, sin perder su nivel terrenal, lo que hace que la poesía de Israel Rodríguez no pierda en lo divino el necesario contacto con lo humano.

Cuba aparece en la poesía de Israel Rodríguez en uno que otro verso que denota su origen. Sin embargo, hay un poema dedicado a Cuba, mucho más apasionado que la mayor parte de los poemas, donde el equilibrio, la quietud, se rompe por un momento en el dolor. «Aquí te tengo náufraga, batallando en mi sangre.» Lo erótico se integra nuevamente, esta vez más que al ceremonial religioso, al dolorido sentir de la ausencia.

A esta edición de *Poemas de Israel* sigue una tercera más cuidada, aunque sin ilustraciones, publicada en 1971 a través de las Américas Publishing Co. El prólogo, de Harold L. Boudreau, coincide en general con nuestros puntos de vista. «Los tres amores de Israel son, en efecto, uno solo. Raro es el poema erótico que no suena a resonancia religiosa; rara la oda a Cuba que no vea la perdida isla metafóricamente confundida con la mujer ausente, ni faltan líricas marianas que dejan un sabor marcadamente salomónico.» Si el prologuista acierta también al señalar que «no todos los versos son de primera categoría», el análisis de los valores de estos poemas coloca a la poesía de Israel Rodríguez en un lugar muy favorable, a la vez que justo, dentro de la poesía cubana actual.

ROJAS, Jack, *Tambor sin cuero* (Agora, Madrid, 1968), 108 ps.

> Sigue la línea de la poesía afrocubana, especialmente en la tercera parte, titulada, «Con ton y son», con los típicos juegos poético-musicales: «Aé, aé / aé, aé, / balumba la rumba el tres» o «Tatajú, tata, taita, / tamalero, / tacho, tabaco, toro, / trapiche, tres, tumbadero / salación, salao, seca, / serrucho, senseribó / rumba, rumbera, rebumbio, / rastra rotura y rumbón». Al final del libro aparece un vocabulario de cubanismos.

Ya hemos indicado en alguna parte que el cultivo de la musicalidad afro tiene al mismo tiempo que su encanto sus propias limitaciones. Jack Rojas maneja el elemento afro con acierto y es otro buen ejemplo de la necesidad de exilio de lo afrocubano. La cultura nacional, blanca y negra, se refleja también de este modo a través de la producción poética que comentamos. El elemento afro, por consiguiente, no podía faltar.

Pero no es la sonoridad fácil lo mejor de la poesía de Jack Rojas. Además, en última instancia, sobre las distinciones raciales, que a la larga resultan odiosas por positivas que sean, lo más importante es el hombre. En tal sentido, no hay poesía ni negra ni blanca: eso es lo que se llama integración. Esa integración la logra el autor porque no sólo se define como negro, sino que se define como hombre, particularmente en la primera parte del libro: «Yo voy / andando / en sábado, / pensando / en sábado, / sufriendo / en sábado, / meado / en sábado.» La limitación de la poesía afro (y esto va con Nicolás Guillén también, claro) es que limita al negro a negro y no lo lleva a la dimensión de hombre. Si a veces Rojas está dentro de las fronteras de la raza, no siempre ocurre así, y la presencia de ambos elementos es lo que le da mayor dimensión al libro. De la desolación del hombre («Los hombres azuzan / a la guerra / al gallo / y ríen / diabólicas risas / cuando lo ven con miedo / retroceder.» «Alguien formó este embrollo, / yo no sé quién. / La serpiente se desliza / por la tierra, / busca y no encuentra, / y cuando encuentra, / para qué.» «El pasado es de los historiadores, / que hacen cuentos seductores. / El presente de los políticos, / seres monolíticos. / Y el porvenir es de los poetas, / soñadores, / estetas») pasa a la expresión poética de una desolación racial («Yo por el camino. Negro. / Tú por la montaña. Blanca. / Distancia que nos separa»). Pero las dos desolaciones forman una sola, se unen a una expresión musical ligera y típica y acaban dándonos un todo.

Para estar completa esta desolación, no podría faltar el hombre, no ya en el plano racial desolador, sino en el plano nacional desolador: cubano exilado. Lo tenemos en la cuarta parte del libro: «Una voz, una esperanza...»: «Juan Francisco Cambó / salió de Cuba un día / y a la isla no volvió.» «Juan Francisco Cambó / a su isla nunca jamás regresó— / qué lástima, qué agonía, qué desengaño, qué horror.» «Juan Francisco Cambó / soy yo.» «Pienso en Cuba y se me cubre el cuerpo de guayabera.» Desolación sobre la que se levanta la esperanza que hace al hombre: «El duro destino de los desterrados / me abraza. / El duro destino de los desterrados / me ha abacorado...» / «pero sobre ese duro destino de los desterrados / me levanto y salgo.»

Pero la trayectoria del libro de Rojas, que empezó en hombre, siguió en negro, en negro musical, en cubano desterrado, tenía que terminar en el punto de partida: el hombre: y nos da uno de sus mejores poemas: «Camino por las calles de España. / Solo. / Camino por las calles de U. S. A. / Solo. / Camino por las calles de Cuba. / Solo. / Voy y vengo. / Solo. / Me deshago. / Solo. / Trabajo. / Solo. / Me retuerzo. / Solo. / Río y me alegro. / Solo. / Me enfrío. / Solo. / Muero. / Solo. / En la tumba / También solo.»

ROJAS, Teresa María, *Señal en el agua* (Epoca y Ser, Costa Rica, 1968), 72 ps.

> Este libro de Teresa María Rojas aparece con comentarios de Juan J. Remos, Alberto Baeza Flores y Luis Alberto Monge. El libro está dividido en cinco partes: «Umbral de la memoria», «Temblor del agua», «Las puertas de la sangre», «Arena de cristal» y «La luz como señal». Comprende poemas de 1956 a 1968. La autora muestra una extensa variedad temática.

Teresa María Rojas tiene una auténtica calidad poética que se eclipsa a veces porque junto a poemas que nos parecen muy intensos ofrece otros que resultan francamente triviales, adolescentes, sentimentaloides casi. El defecto del libro es la ausencia de una selección con carácter depurativo, y la división en cinco partes nos parece arbitraria: no ofrece una particular orientación al lector. Junto a pequeñeces amorosas, que no estarían mal si la autora no supiera ofrecernos algo mejor («Quisiera escribir sobre tu indiferencia / y señalar con palabras insolentes / tu modo de ignorarme»), nos encontramos con el brutal impacto poético que produce el poema que dedica a Francisco Morín: «Conocerte fue como el impacto que sigue a la locura. / Me dije que era la triste historia / que alguien contó de ti, lo que me conmovía. /Pero cuando encontré / ese dolor que para siempre lloras, / sentí la muerte desesperada que a los bosques / causa una chispa de fuego.» Toda la dimensión de un apasionado encuentro humano está en este poema. Mundo poético variadísimo, disgregado peligrosamente a veces, con imágenes conseguidas que nos asaltan hasta en poemas de incompleto logro: «Un salón de belleza... Una fábrica de municiones extranjera» vs. «¡Qué amargo decir, patria, / y sentir que los pies son alas prisioneras! » Se trata, pues, de un libro de sorpresas. De pronto, por ejemplo, el peculiar humorismo que late en su interpretación del tiempo cuando medita sobre él a las seis de la mañana: «Al tiempo no le importan / los puntuales horarios de los relojes, / el tiempo se pasa el tiempo / durmiendo»; también, su humorismo frente a la poesía misma mediante el cual perfila parte de su credo poético: «La llaman 'Poesía de acción' o 'Poesía de combate'. / Creo que la han reclutado para acabar / con las comas. / Sería perfecta su técnica de camuflage / si no la delatase el uniforme.»

En este mundo poético, variado y desigual, es la evocación nostálgica nuestra porción preferida. En su poema «Familia» hay todo un conjunto humano, evocado a través de la poesía. Hay una nota infantil y dolorosa a un tiempo: «Si recuerdo / el metal de su voz es porque hay locomotoras / y tormentas», mas «nunca le perdonaré su irresponsable manera / de amarnos.» Los personajes de la evocación familiar se hacen imágenes poéticas, sentidas y elaboradas a la vez: la abuela: «Bien pudo ser una princesa, pero nació para reinar / en el castillo de la mansedumbre»; la madre: «Me parece que llega, como un golpe de luz», «mirándome tras las persianas de un ventanal muy alto...»; el padre: «Pero de su sangre / heredó la mía / el bullicioso galopar»; Teresa, ella misma: «Teresa es una sonrisa / que lloro todos los días.»

ROSSARDI, Orlando, *El diámetro y lo estero* (Agora, Madrid, 1964), 102 ps.

> «En la *Antología de Poesía Cubana Contemporánea* (Colección Arrecife, Cádiz, 1963), se dice que "la palabra y el concepto van saliendo en paso natural, anímicamente inductoras, embotadas de elegancia y de íntimos pesares no explicables con giro hueco y vacío, más bien apretado hacia el enigma de la naturaleza última. Su palabra no tiene más musicalidad que la que escapa de su interior, no dada al artificio de la repetición coral o a la cadencia pegajosa".»

Efectivamente, Rossardi no entra en el grupo de poetas cubanos donde lo rítmico de la poesía tropical forma parte de su naturaleza más íntima. Es de observar que no hay particular interés en lo rítmico en la mayor parte de los libros que comentamos, aunque en muchos de ellos hay una dirección hacia la armonía en contraposición a otra dirección que va hacia el caos. Rossardi va hacia la armonía por un proceso intelectual a veces demasiado rebuscado. La armonía es de carácter trascendental y Dios es la última palabra.

La dirección es, a su modo, mística, y nos parece que Rossardi está
más conectado espiritualmente con la poesía ibérica que con la
hispanoamericana. Esto lo une a poetas cubanos tan disímiles como
Mercedes García Tudurí o Carlos M. Luis; poetas que se salvan de
la desesperación gracias a Dios. En Rossardi el sabor es más intelectual, pero el fondo es, allá, Dios. Esta dirección es observable en
estos poetas, aunque nos parece que la nota caótica general es la
más característica de los desterrados. En Rossardi, los lugares, al
pasar por un proceso interior y un estado poético intelectual y refinado, se desfiguran hasta hacerse intencionalmente irreconocibles.
Por eso Rossardi no se une a aquella poesía cubana que va hacia
la percepción directa. Es interesante observar un poema que introduce con la nota de «En Nueva York, mientras pensaba en mí y
y en mi patria». «Amanecer ya —ahora—; / y grito de nacer re-
sucitado / subiendo el día; yo, sabiendo / de pronto como un grito! / Y que se ponga —ahora— / el día de azul mejor, y al po-
niente / le anuncien que es venido / el quehacer de los soldados: /
Es que entonces —ahora— / ni he nacido, ni he gritado / por caminos ni por larvas, ni soy / sueño amaneciendo, amanecido!» Lo
específico (New York, la patria, el poeta) se desintegra en el estado poético hasta el punto de hacer la referencia señalada, no
sabemos, si necesaria o superflua. Poeta de tránsito difícil, se une
con características propias al mundo de tránsito difícil de algunos
libros de Mauricio Fernández, de Jorge García-Gómez, de Arcocha.
Cada uno de ellos, a su modo personal, encierran el estado poético
dentro de versos amurallados.

Como cada poema requiere un lento proceso de interpretación,
nos limitaremos a uno que preferimos: «Ay, Dios, qué Dolor me
das / —¿qué te das?— / (Por cuanto Tú eres Todo / y yo, Tú,
que soy nada) / Tú en mí con mi dolor, sufriéndote; / yo en Ti
con Tu Dolor, sufriéndome. / Tú con Tu Dolor en mí; yo / en Ti
con mi dolor... ¡Llorándonos! / ¡Ay, Dios, qué dolor Te das! /
—¿qué me das?» En este poema las claves poéticas son lo suficientemente claras para llegar a él sin aclaraciones necesarias o innecesarias. Además, el uso pronominal es muy efectivo: en juego o
malabarismo de pronombres el poeta se lamenta del dolor que Dios
da. Dios es todo y el poeta, su hijo, es el Tú de la nada, que a veces
se confunde con Dios mismo. El uno en el otro sufren en esa in-
terrelación Dios-hombre, hombre-Dios. Un perfecto ajuste entre la
forma y el contenido es observable en este juego (no demasiado
hermético) de este poema de Rossardi.

ROSSARDI, Orlando, *Que voy de vuelo* (Editorial Plenitud, Madrid, 1970), 102 ps.

El sueño en el punto focal de los poemas de Orlando Rossardi. Es el motivo que se repite con mayor insistencia en sus poemas. El vuelo poético que realiza siempre va orientado hacia el sueño. Los lugares que a veces desfilan, en verso o en prosa poética, están inundados de una atmósfera especial que no resulta un retorno del sueño, sino una prolongación del mismo.

La poesía de Orlando Rossardi no pertenece al mundo de la disonancia sino al de la armonía. Persigue la estilización absoluta mediante un constante anhelo de cincelar el verso. Esto tiene un inconveniente para nuestro gusto: de tanto anhelo de perfección, de tanto trabajar intelectualmente la palabra, se distancia demasiado de un punto que, partiendo de la realidad aunque superándola, facilite el encuentro en su poesía. El peligro de lo abstracto no es menor que el abuso de lo cotidiano. Salvo esta personalísima objeción, *Que voy de vuelo* es uno de esos libros de poesías publicados en el exilio que deben tomarse en seria consideración.

Inspirado en la perfección (San Juan de la Cruz: «Apártalos, Amado, / que voy de vuelo») es la armonía su anhelo dentro de su vuelo en el sueño. Lo logra muchas veces: «Suelto al aire / mis más mansos / pensamientos / y se quedan. / Los dejo, entonces, / dentro —dormidos— / y vuelan / como palomas sin término, / hasta el sinfín / de su jaula: ¡palabra!» Aún en la poesía de carácter erótico, sensual, tropical, Rossardi no se deja llevar por la exuberancia, sino que la controla dentro de la armonía, tal como ocurre en su «Virgen líbica»: «Bailabas. A ratos el pie se indisponía / y la plata de tu seno te saltaba fuera, / interminable... / Yo era un caminante de ciudades / y un turista de caminos, sin embargo, / te conocí —pese a las direcciones— / como a un cardo se conoce, puntiagudo, / por la espina». De este modo, el vuelo de Rossardi quiere mantenerse dentro de un equilibrio permanente, con una predominante referencia al sueño. Este puede apoderarse de un poema e ir y venir dentro del juego lírico. Su camino hacia el sueño es de espíritu místico, búsqueda, alegría que inunda cuando se considera que se está cerca de su comunicación plena con El: «¡Qué soñado andar / por los caminos / en busca de los sueños! / —qué arrebato!—. Luego / un sueño de párpados / y ojeras, uno trivial. / ¡Qué sueño un sueño / no soñado todavía, / que despunte uno limpio / —uno cualquiera—, / en los dedos de la mano!»

Sin embargo, no falta el dolor, aunque también en armonía. Son nuestros momentos favoritos. No obstante, no es un dolor que llegue a deformar la poesía, sino que la mantiene, apretada dentro de sus límites estéticos. La palabra la contiene, no la desborda: «A veces todo duele: / el silenciar, el viento, / el ámbito del cuerpo, / el hambre en su escotilla, / el hueco en la camisa del que pasa... / y hasta el oficio de doler / le sabe, a ratos, su leño en triste / a fuego abigarrado...» Y el sueño vuelve otra vez, constante, inseparable, pero como si al mismo tiempo fuese una forma especial de pena que va llevando la pena hacia adentro: «Y sólo, por doler / más hondo el hombre sueña». Al unir la pena en el sueño o el sueño en la pena, las aristas del dolor real se amortiguan, como si el sueño se convirtiera en un anestésico. Por eso no es el desgarramiento inicial, relativamente angustioso, lo que se impone: «A veces duelen / hasta el clavo / los rincones / por su esquina» sino el sueño final que conduce al poema hacia su último objetivo.

RUIZ SIERRA FERNANDEZ, Oscar, *Pensando en Cuba* (Graficart, Río Piedras, Puerto Rico, 1967), 100 ps.

Otros «poemas del exilio» que recogen en forma tradicional el dolorido sentir del cubano desterrado. Nada nuevo que reseñar ni en sentido formal ni en sentido temático: simplemente, una manifestación más de la necesidad poética que produce a veces la pena.

SANCHEZ-BOUDY, José, *Poemas de otoño e invierno* (Bosch, Barcelona, 1967), 54 ps.

Estos primeros poemas de Sánchez-Boudy manifiestan un estado nostálgico producido por el exilio. La nostalgia se proyecta hasta en la contemplación del paisaje norteamericano; específicamente, Carolina del Norte. Algunos poemas guardan relación directa con la temática cubana, pero todos tienen una similar nota emocional, un tono parecido.

Los poemas de Sánchez-Boudy tienen una nota agradable, suave, que se extiende sobre los motivos que desarrolla. La ausencia de Cuba provoca en él tristeza, comparaciones, pero logra reflejar con la belleza de tonalidades grises el paisaje para él exótico de Carolina del Norte. «¡Oh, mar de pino! / Brazos que imploran al oscuro cielo / Brazos de yesca / Mar con destino / de soledad y de parca en el camino». Sin duda, Sánchez-Boudy siente la influencia poética de Antonio Machado, su tristeza al contemplar el paisaje, motivo para contemplar el tiempo ido, pero logra ajustarla felizmente a la temática de su poesía: «La montaña se viste de colores / cuando avanza el otoño / presagiando / que el cierzo va llegando. / Y en el medio / partiéndola en dos lados / el speedway osado». Las notas más emotivas las encontramos cuando el paisaje de Carolina del Norte se invierte y es al paisaje cubano hacia donde el autor se vuelve: «Y estoy sentado junto a tus orillas / ¡Oh río del ayer cubano! / Sí, recuerdo que era un día / brillante de verano».

SANCHEZ-BOUDY, José, *Ritmo de Solá* (Bosch, Barcelona, 1967), 62 ps.

Poemas de ritmo popular que nos trasladan a La Habana anterior a la revolución castrista y a sus ambientes populares, con un interesante prólogo de Juan J. Remos que contiene valiosas apreciaciones sobre la actitud del poeta y el folklore. Con mucho acierto comenta Remos que «la virtud del folklore viene con su senestesia a mitigar la pena, ante la pérdida de lo que fue. Revive el ayer que dejamos, al escuchar de nuevo la expresión típica de las clases populares, y nos parece que nos hallamos de nuevo, en alguna calle, en algún mercado, en alguna plaza de cualquiera de las ciudades de la hoy maltrecha isla de Cuba. Nos parece que ésta ha sido la intención del doctor Sánchez-Boudy, al hilvanar su poemario y ofrecerle al lector los versos que integran este libro». La evocación de Sánchez-Boudy no tiene intención política, sino meramente literaria, pero el libro en sí, al hacer del folklore una presencia en el exilio, y al subtitularse «aquí como allá», indica que el folklore no es patrimonio de algunos, sino de todos los cubanos.

Sánchez-Boudy nos ofrece una colección de poemas que aunque tienen un tono superficial y ofrecen una visión un tanto estereotipada de la vida cubana de ayer, no por ello deja de tener un agradable encanto. Son poemas ligeros, agradables, rítmicos, para leer en voz alta, musicales, que dan la impresión de haber sido escritos con facilidad y con una innata condición poética para captar estos ambientes. Es una poesía que compensa sus sugerencias un tanto limitadas, con un ritmo muy cubano (en lo más externo del colorido tropical) que es esencialmente musical. Constituye una prolongación en el plano literario del natural sentido musical del cubano. Propósito del autor, sin duda, como sugiere el título.

La visión del mundo negro cubano tiene una tonalidad alegre. Por algo será que la música cubana, cuya presencia afro es bien marcada, ha mantenido un tono alegre y vibrante. Quizás ello quiera decir algo en relación con el debatido tema de la discriminación en el período republicano. El tono no era ciertamente trágico. Por algo sería. Lo mismo ocurre con los poemas de Sánchez-Boudy. El tono es alegre; aquí y allá una nota ligeramente triste o nostálgica. Pero la tragedia no se impone. Por algo será. Y aunque hemos dicho que la concepción es algo estereotipada, quizás todo sea cuestión de grados. Pero lo cierto es, en cuanto a la verdad, que el mundo negro que late en la música cubana (y que se extiende en estos poemas) no era esencialmente trágico. Y por algo sería.

Desfilan personajes típicos del folklore cubano en estas páginas rítmicas. Son poemas negriblancos o blanquinegros, a los que se les une la presencia simpática del chino, uno de los mejores exponentes de la armonía racial cubana. Quizás la relación del chino con el blanco criollo y el blanco gallego y el negro y el mulato, sea el mejor exponente de la armonía racial cubana anterior al período castrista, que aunque no afirmamos que fuera perfecta, lo era en la mejor de las medidas posibles —hasta ahora—. Por consiguiente, la intención política del libro es subyacente, ya que sin quererlo quizás se vuelve exponente en contra del mito discriminatorio que se intenta crear en contra de los cubanos. Se trata de una poesía agradable y encantadora con las limitaciones de lo agradable y encantador. Sánchez-Boudy además parece demostrar que lo negro no es reino exclusivo de la Cuba castrista, que la musicalidad rítmica de la poesía antillana no es cosa del otro jueves ni don poético que le ha venido del cielo o de otra parte a Nicolás Guillén, y que personalmente tiene un buen «ritmo de solá» capaz de mantener en vivo este tipo de poesía en la Cuba peregrina.

«Farolero» («La farola viene y va, / con su ritmo zandunguero. / El ron se bate ligero, / y la cuadra está alborotá. / Se oye el toque del tambó. / Se oyen los cueros soná. / Se ve la luna arrollá. / Se ven danzar los luceros. / Se oye cantar al negrito, / de brazo con el blanquito. / ¡Esa fue Cuba, Chaguito!»), y «Aló con palito» («—¿Oye, tú vende papita? / —Mulata, dame una cita. / —Tú sabes mucho, narrita. / —Yo aplendí con los cubanos / que son todos mis helmanos. / Yo sé bailá, / y fajá, / y como ostiones de Sagua; / y ataco bien a la guagua; / y la monto por detlá»), son dos buenos exponentes de este mundo poético, cuya nota dolorosa descubrimos al leer: «Pena de Cubanacán. / Por la verde guardarraya / del maniatado Caimán», latigazo poético del ayer que lastima en el presente.

SANCHEZ-BOUDY, José. *Poemas del silencio* (Bosch, Barcelona, 1969), 48 ps.

Estos poemas de Sánchez-Boduy siguen una línea poética diferente a otros libros suyos; es decir, no siguen la línea folklórica y colorista de la tradicional versión de lo cubano. Esta vez nos traslada hacia las latitudes más calladas de los pueblos norteamericanos, en una versión, en cierto modo, antisonora en comparación con las sonoridades de otras poesías suyas.

De acuerdo con la tradicional interpretación del temperamento cubano, la alegría y la felicidad han estado siempre relacionadas con el sonido, mientras que el silencio ha estado profundamente conectado con la tristeza. Si nosotros observamos algunos libros de poemas de Sánchez-Boudy, podemos encontrar en ellos ambas tendencias, pero paradójicamente, en la música de un libro suyo como *Alegrías de coco* hay una nota de silencio y de tristeza, porque esa musicalidad cubana ya no es una realidad histórica, mientras que en la quietud de *Poemas del silencio* hay una evocación de la música y la alegría: allá en el fondo ésta no puede desaparecer ni en las heladas latitudes de Greensboro.

En *Poemas del silencio* la belleza de Greensboro se abre en un cementerio. El autor nos habla de la nieve, la lluvia, el invierno, el otoño. Se siente el paso del tiempo. El autor parece compartir la belleza del paisaje, pero todo está en completa quietud, inmóvil, sombrío. Sin embargo, todo el libro es la nostálgica evocación de la belleza que no está en esa funeral belleza de Greensboro, porque dentro del silencio se puede escuchar la alegría de un pasado que ya no está allá, en vivo. Los siguientes versos, nostálgicos, soleados y musicales, interrumpen la quietud: «Y en el destierro / el recuerdo muerde / de días de sol y de alegría; / de copas sinfonía». Introduciendo un motivo opuesto, nos encontramos no sólo con un mundo, sino con dos. Los poemas están relacionados con Greensboro, pero de igual modo están relacionados con Cuba, la cual está presente con más fuerza en la propia medida que parece estar ausente.

SANCHEZ-BOUDY, José, *Alegrías de coco* (Bosch, Barcelona, 1970), 64 ps.

> Este libro sigue la misma dirección folklórica de *Ritmo de solá*. Muchos aspectos de la vida cubana reviven en estos poemas, aunque su encanto es siempre más superficial que profundo. Pero la poesía de este tipo tiene una misión que cumplir en el exilio: mantiene en vivo estos elementos tradicionales cubanos. Es una versión de Cuba que debe tenerse en cuenta, aunque ya no es por una gran mayoría compartida.

Alegrías de coco nos lleva otra vez a una Cuba blanquinegra o negriblanca que nos ofrece una brillante estampa. En toda estampa hay una deformación de la realidad, pero como la realidad es siempre dudosa, no debemos negarla completamente. En lo «típico» de un pueblo hay siempre una dosis de verdad y una dosis de mentira.

Alegrías de coco nos lleva directamente a una Cuba sonora y llena de color. Estamos allí por la musicalidad externa de los poemas, que son una muy agradable experiencia poética al mismo tiempo que ofrecen una no menos rica experiencia lingüística. Nuevamente Sánchez-Boudy integra muy bien su dominio del lenguaje popular a la poesía. La versión es sonora, musical, alegre. Por otro lado, triste: existe la conciencia en el poeta que esa Cuba suya ya no está en las mismas playas. Algunos tienen un magnífico toque humorístico, como nuestra favorita «Svetlana ciudadana» («¿Svetlana, tú eta loca? / ¿Tú le metite a la coca / o fumate marihuana? / ¿Svetlana, tú eta insana? / Ciudadana americana?»), una aguda interpretación de la paradójica situación del ser humano que pertenece (o no) a más de un mundo. Buen instante del choteo criollo hecho poesía. Con una concepción más seria, los poemas que abren el libro y lo cierran no están relacionados con el sonido y la alegría, sino con el silencio y la tristeza. Lo que indica que la alegría es una moneda que tiene dos caras.

SOSA DE QUESADA, Arístides, *Errante* (Echevarría Printing, Miami, 1967) 36 ps.

> Reúne Sosa de Quesada poemas de diferente orientación temática. Algunos se centran en motivos intelectuales tradicionales, cervantinos, martianos, rubendarianos. Este último poeta parece estar particularmente presente en el autor. Junto a ellos se evoca la patria perdida, con elementos típicos de la tradición cubana: el machetero, la Virgen de la Caridad. No faltan las experiencias familiares entre nietos y abuelo, así como la reacción ante lo más inmediato: Yellowstone, Children's Hospital, Christmas. Dentro de ese conjunto demasiado disgregado temáticamente surge una unidad rítmica que logra mantener el poeta de principio a fin y que logra unir en lo posible temas tan disímiles.

La nota nostálgica se impone en estos poemas de Arístides Sosa de Quesada, no sólo en el contenido sino en la forma. Es una poesía del pasado, pero que dentro de moldes que no son novedosos tiene imágenes bellas cuidadosamente elaboradas. Sosa de Quesada mira a las cosas sin angustia, con suave placidez nostálgica, las evoca con la conciencia de un tiempo que se ha ido, y de vez en cuando, entre ellas, surge la imagen de Cuba misma, ida también. El tiempo es por eso una nota predominante que logra darle a la poesía de Sosa de Quesada una cálida belleza.

Aunque la mayor parte de los poemas del libro no están relacionados con la circunstancia cubana, el autor la deja traslucir constantemente mediante la delicada tristeza que late en ellos, una mirada que parece haber envejecido con esta separación. No faltan alusiones directas, pero son las menos. Como siempre, cada vez que mira el poeta las cosas cercanas del país al que ha emigrado, surgen las distantes. Bella y agradable, rítmica, podríamos reprocharle a la poesía de Sosa de Quesada la ausencia de novedad, pero en cierto modo sería injusto: es la poesía del hombre que mira al pasado como si ya se hubiera ido —del mismo modo que a su tierra que ya no está.

SOSA DE QUESADA, Arístides, *Brasas en la nieve* (Ediciones Universal, Miami, 1971), 127 ps.

> Este libro es en cierta medida prolongación del anterior, manteniendo una tónica similar. Algunos poemas reaparecen. Los lineamientos generales de nuestro comentario sobre *Errante* son aplicables a esta colección más extensa.

Lo que menos nos atrae de los poemas de Sosa de Quesada son aquellas notas que indican intenciones filosóficas o de una cierta trascendencia; filosofía de lo cotidiano a lo Campoamor, presente en sus «flashes» —hubiéramos preferido también cualquier otra denominación: «Un 'jet' atronador abrió una herida / en el denso techado de la tarde. / Pero no se cayó ninguna estrella.» Lo que más nos gusta de su poesía es aquella poesía llana, simple, que constituye una honda mirada sobre los objetos, que se desliza sobre ellos y del modo más escueto, pero sentido, los describe. Tanto en sus miradas sobre las cosas cubanas, pero en especial sobre estas ajenas del exilio, hay un acento genuinamente adolorido que apenas necesita adjetivación. El dato se hace poético sin necesitar de lo accesorio. «El sol, que me vio solo, / entró en pedazos / por las persianas de mi cuarto. / Me está invitando / a jugar ajedrez, pero rehuso: / seguiré meditando. / Dentro de pocas horas / se irá también y quedaré en penumbra. / Por urgar entre dudas /

tengo las manos rotas. / ¡Tampoco hay claridades en las tumbas!»
La exclamación final no distorsiona la escueta trayectoria. Como
no la hay tampoco en el dolorido sentir descriptivo de «Estás, pero
no eres...», dedicado a su amigo Rubén Arango en ocasión de su
muerte. La típica búsqueda de lo ausente en el paisaje presente está
muy bien dada en su muy exilado «Blair's Bridge»: «Allí, sobre
el Misouri. / Con sus piernas enhiestas, / afincadas / en distintas
riberas.» «¿Por qué me afano / en encontrar El Abra, / si no hay
ninguna Ermita vigilando?»

TARACIDO, Carlos Manuel, *Poemas de mi fantasía* (Plaza Mayor, Madrid, 1971), sin paginar.

> Brevísima colección de poemas, que por momentos parece tener el carácter de ejercicios poéticos. Buenos ejercicios algunos de ellos, pero apegados al parecer a una determinada gimnasia. Taracido gusta de los juegos formales, pero lo hace demasiado obvio: «Canción de un pesimista», por ejemplo, es un pequeño e interesante poema, pero de limitada altura. Sin duda, un poemario más extenso (y más intenso quizás), futuro, nos podrá dar una medida más clara de sus condiciones poéticas. La evidente percepción formal de Taracido le ayudará a encontrarse a sí mismo poéticamente.

TEJERA, Eduardo J., *Recuerdos de un instante...* (Madrid, 1970), 23 ps.

> Se trata de un libro muy breve, pero que descubre un poeta singular, sin estridencias, de indiscutibles posibilidades. Se inicia con un «exordio» de carácter muy personal sobre experiencias del autor durante sus estudios en Washington: nota emotiva interesante e idealizada sobre la existencia cubana en el exilio.

Dentro de una única objeción (la brevedad del conjunto) nos encontramos poemas como el que titula «en torno a Cuba», donde, con sentido equilibrado y armónico que no desajusta la poesía, el

dolor de la experiencia aparece dado en términos poéticos precisos:
«Quisiera verte, / tocarte, / palparte, / ... y sentir / sobre mi
afligido pecho, / el latido de tu rítmica rutina». Cuba no distorsiona
la poesía, sino que la equilibra con sencillez y emoción. Lo mismo
ocurre con los otros poemas, instantes que surgen nítidamente:
«Nuestros gestos se buscaron, / en el perfil de la noche»; «generaciones caminarán / en ondas concéntricas, / por el arroyo sin
agua, / en busca de la causa de la / insaciable sed»; «cuando todo
haya pasado, / volveremos al mismo punto de partida». Por encima de la brevedad, se descubren las posibilidades poéticas de
Eduardo J. Tejera.

TEJERA, Eduardo J., *Voces de dos mundos* (Ediciones Universal,
Miami, 1971), 134 ps.

Una de las partes de este libro incluye «Recuerdos de un
instante...», el libro anterior de Tejera, que nos hacía sospechar que se trataba de un auténtico valor poético. Las tres
partes restantes que completan este libro confirman lo que
veníamos sospechando.

En la primera parte del libro nos encontramos a un poeta preocupado por el hacer poético, tanto en lo que respecta a los medios
como al contenido de dicha tarea. Eso le da siempre un valor humano a su poesía, acompañado de una preocupación intelectual.
Su «Elogio a borges», y en particular «La historia», son muy buenos poemas. Tejera asume una actitud de búsqueda y también de
desesperación. Las dificultades de la comunicación humana y del
instante en que se vive, parecen agobiarlo. El tiempo vuelve como
enemigo. La historia: «—mañana volverás a proseguir / tu ince-
sante peregrinación, / pero conocerás, / entre distantes eternida-
des / el minúsculo esfuerzo, / de una generación expectante, / que
hoy pone su letra / para dejarse definir. / He sentido tus vibraciones / y confieso que me desesperan, / ya que nunca te veo / sino
después que todo ha pasado».

Esta conciencia intelectual del tiempo y de la historia, late en la
experiencia y Tejera se sumerge en la búsqueda. Pero en su búsqueda, a pesar de los hechos, no hay desesperación absoluta y un
trasfondo de esperanza lo distingue. Tejera, además, no evade el
tópico cotidiano y la experiencia inmediata: Cuba. Por eso las cosas
aparecen con nombre y apellido, pero sin destruir la poesía y sin

reducirla a lo más insignificante. No vacila en decirnos: «me voy a la mar del caribe, / a sentir los céfiros de mi tierra»; «y la ceremoniosa espuma / refresca incesantemente / el fatigoso ritmo antillano». El origen no se niega como si fuera infamante para el verso. La revolución ha existido alguna vez: «ésta fue la hora de la / esperanza y el culto: / pero ya nada es igual, / ya murió, / vive inexistente, / en el recuerdo / y la fe frustrada.» «¿dónde están los muertos / que con su sangre tallaron / el naciente mármol?» El hombre nace de lo inmediato y de ahí puede marchar, como hace Tejera, a un mundo de más amplias fronteras: «caminante de ojos sonoros: / oye mi sangre que se coagula, / oye este garabato / de mi garganta muda». Es que el poeta confiesa lo inmediato y también lo total: «voy buscando caminos en la noche». Sin embargo, no siempre acierta en lo más inmediato y directo, justo es decirlo: «heberto padilla ha muerto» y «jan palach vive», son poemas de limitado logro a pesar de algún verso feliz.

La preocupación humana lo lleva a lo erótico, que tiene a veces tono de evasión, muy bien dado en «amor al filo de la luna»: «... así se olvidaba al presente / y se vivía en un estado alucinante...» Este presente está a punto de llevarlo a la desesperación: «toda el agua del mar se ha evaporado, / ante los peces que de dolor gritaban / pidiendo auxilio... / ya el réquiem se despidió de los peces, / que marchaban en línea fúnebre / tras el silbido del genocidio final. / Ahora una soledad de metal y frío / se apoderó lentamente, / de los recónditos mundos del océano». Pero Tejera no lleva dentro de sí el espíritu genuino de la desesperación apocalíptica. Su camino no desconoce la esperanza, lo que ya lo sitúa en otra dirección en relación con los poetas más jóvenes del exilio. Hay un sentimiento de euforia que no es la nota común más destacada: «eché hacia atrás la cabeza / para contemplar, / el nuevo fervor que subía la montaña, / visiblemente feliz, / feliz como yo». Ojalá sea la verdad de un «minority of one».

VALDES MIRANDA, Concha, *Sus poemas y canciones* (Miami, 1967), 46 ps.

Como el título lo indica, se trata de una colección de poesías y canciones. La línea es sentimental. Por eso la poesía queda limitada a una experiencia que no va mucho más allá del escritor mismo. Así como en el exilio nos encontramos con la dirección combativa y política, que es la favorita, también, principalmente entre las poetisas, es muy frecuente la dirección sentimental, «romántica». Este breve libro es un ejemplo.

VARELA-IBARRA, José L., *Año nuevo, 1970* (San Francisco, 1970), sin paginar.

Breve colección de poemas. Nos encontramos notas nostálgicas cubanas conjuntamente con motivos de la vida norteamericana contemporánea. Hay referencias también a la situación cubana actual. El autor gusta mezclar elementos ordinarios con versos de una intención poética de más alto nivel.

VENTURA, Enrique J., *Veinticinco poemas y un monólogo dramático* (Miami, 1966), 42 ps.

Aunque no faltan los poemas de carácter combativo en relación con el problema cubano, así como los de índole sentimental, los mejores momentos de Enrique Ventura se descubren en los elementos nostálgicos presentes en varios de sus poemas, particularmente en aquéllos en los cuales nos lleva a su ciudad natal, Sagua la Grande, como ocurre en su «Romancillo del recuerdo»: «Triste tarde / triste otoño / de un octubre / color de plomo. / Mariposa / de oro / en el hueco / de un tronco. / Estoy sin ti, / y estás en todo, / amor divino / que ya estás roto, / triste tarde, / triste otoño / de un octubre color de plomo. / Por estos cielos / del Undoso, / yo sin ti, / tú en todo». Aunque el poema es del año 1953, en «Recuerdos de mi pueblo», de 1966, encontramos direcciones semejantes. Entre lo nostálgico y la difusa sentimentalidad, el problema directo. «Patria, charco de sangre / donde el déspota se baña». Completa la colección un monólogo dramático de índole patriótica.

VENTURA, Enrique J., *Veinte cantos y una elegía* (Ediciones Universal, Miami, 1968), 39 ps.

Otro caso en que se mezcla lo sentimental y erótico con lo político de carácter comprometido, a veces demasiado directo. Lo más logrado poéticamente es un poema diferente, «Canto para cuando muera acompañado de mis versos», en el cual el poeta clama porque sea enterrado con sus versos.

VENTURA, Enrique J., *Raíces en el corazón* (Universal, Miami, 1971), 42 ps.

Este libro es un indiscutible paso de avance de este poeta en relación con su producción anterior. Además de los poemas, incluye Ventura una serie de relatos.

Es interesante observar la tarea poética de Ventura. La poesía parece irse depurando hacia pasos opuestos a aquéllos que lo inician, convirtiéndose por momentos en un estado antipoético mucho más efectivo que los extremismos patrióticos y eróticos de ciertos momentos. Sin llegar a la plenitud poética, hay manifestaciones que indican que la poesía no es sólo inspiración, sino esfuerzo, y que algunos poemas son el producto del trabajo, la elaboración y la constancia. El desterrado cubano tiende a hacerse poeta a causa de su circunstancia. «Puede ser que no pueda, pero quiero,» es el verso que abre el libro y que descubre su credo humano y poético. Siguen algunos momentos bien logrados, mesurados, sin estridencias. «He visto y aprendido algo en Cuba, / y aquí he amasado, lo mismo que un panadero, / el sudor del día con la lágrima nocturna.» La nostalgia, mucho más que la poesía directa, sigue siendo lo mejor que nos da Ventura. Su cubanía se va ajustando a un molde más actual y es de esperar futuros ascensos en el poeta. «Yo nací en el corazón de Cuba, / en la fértil y rica provincia de Las Villas. / Pero siento en cada pulsación de mis venas / contenida la sangre de mis seis provincias. / Yo soy «Canoa, la Villa del Undoso», el puerto de Isabela de Sagua, / pero también soy Matanzas, y su Valle de Yumurí y su bahía.»

ZALDIVAR, Gladys, *El visitante* (Vórtex, España, 1971), 40 ps.

> C. T. Alzola nos dice: «El fenómeno del exilio está con-
> templado desde un miembro de uno de los exilios más sos-
> tenidos de la historia, el exilio cubano, comenzado en 1834
> con la expulsión de José Antonio Saco (si fuésemos a tomar
> alguna fecha como punto de partida) y continuando ininte-
> rrumpidamente a lo largo del siglo XIX —en la colonia— y
> el siglo XX hasta nuestros días.»

Estas atinadas palabras de C. T. Alzola dan una breve pero eficaz idea del fondo histórico sobre el cual se sustenta la poesía cubana en sus notas de exilio, y sería interesante un estudio en esta
dirección. Es menos eficaz cuando trata de ubicar la poesía de
Gladys Zaldívar dentro de esta dirección, en particular porque hace
de *El visitante* un libro demasiado ambicioso. Sin ser ninguna sor-
prendente novedad, *El visitante* se une correctamente a la producción poética en el exilio, donde poetas jóvenes, unidos por un común denominador de insatisfacción humana, tratan de encontrar
la forma ajustada para expresar ese estado. En Gladys Zaldívar
nos gusta más el estado de dolor humano que expresa, que la forma que usa, pero el libro es demasiado breve para dar un juicio
definitivo. Básicamente se trata de una poetisa cuya trayectoria debe
observarse. Pruebas hay: «El vecino buenos días cuelga su voz
distante en los ramajes / y yo trastoco el orden de mi garganta /
para que siga el hilo falso buenos días / a fuerza de mascaradas
cultivamos muletas / más bien un corazón postizo que soltar / a
la hora de eléctricos encuentros...»; «escribo la palabra dicha con
un ladrillo en las costillas / no hay remedio».

CONSTANCIA PARA UN ESTUDIO DE LA PINTURA CU-
BANA EN EL EXILIO.—Muchos pintores cubanos han dejado
prueba palpable de su talento y de su exilio en algunos de los
libros reseñados. En particular, y a la cabeza de los mismos, José
María Mijares, cuya refinada y esencial interpretación de lo cubano es un acierto total. Además, otros nombres: Estopiñán, Armando Córdoba, Zilia Sánchez, Roberto Fandiño, Rolando López Dirube, María Luisa Ríos, Baruj Salinas, Díaz de Villegas, Alfredo
Fernández-Pla, Luis Peñalver, y otros que se nos escapan.

OTROS TITULOS DE
LA COLECCION SCHOLAR

1. ELIANA S. RIVERO. *El gran amor de Pablo Neruda: Estudio crítico de su obra.*
2. EUROPA G. DE PIÑERO. *Tendencias e ideas pedagógicas: su aplicación en Puerto Rico.*
3. NEAL A. WIEGMAN. *Ginés Pérez de Hita y la novela romántica.*
4. GERARDO LUZURIAGA. *Del realismo al expresionismo: el teatro de Aguilera-Malta.*
5. BATTISTA GALASSI. *Privar contra su gusto (Tirso de Molina): estudio y edición crítica.*
6. ALEXANDER C. HOOKER. *La novela de Federico Gamboa.*
7. JOHN A. CATSORIS. *Azorín and the eighteenth century.*
8. HIDEHITO HIGASHITANI. *El teatro de Leandro Fernández de Moratín.*
9. MORRIS E. CARSON. *Pablo Neruda: regresó el caminante.*
10. ION T. AGHEANA. *The situational drama of Tirso de Molina.*
11. ERNESTO M. BARRERA. *Realidad y fantasía en el drama social de Luis Enrique Osorio.*
12. IRMA V. VASILESKI. *María de Zayas y Sotomayor: su época y su obra.*
13. GILBERTO CANCELA. *El sentimiento religioso en Unamuno.*
14. DONALD E. SCHEMIEDEL. *El Conde de Sex (Antonio Coello): estudio y edición crítica.*

CUADERNOS SCHOLAR

1. CARLOS ALBERTO MONTANER. *El pensamiento de José Martí*
2. BARBARA K MUJICA. *Calderon's Don Lope de Almeida: a Kafkian character.*
3. S. ALAN SCHEWEITZER. *The three levels of reality in García Marquez' Cien años de soledad.*